LA VIE COMPLIQUÉE
DE *Léa Olivier*

5. MONTAGNES RUSSES

CATHERINE GIRARD-AUDET

Gouvernement du Québec – Programme de crédit d'impôt
pour l'édition de livres – Gestion Sodec

Nous reconnaissons l'aide financière du gouvernement du Canada par l'entremise du
Fonds du livre du Canada pour nos activités d'édition.

La vie compliquée de Léa Olivier, 5. Montagnes russes
© Les éditions les Malins inc., Catherine Girard-Audet
info@lesmalins.ca

Directrice littéraire : Ingrid Remazeilles
Éditeur : Marc-André Audet
Illustration et conception de la couverture : Veronic Ly
Photographie de Catherine : Karine Patry
Mise en page : Marjolaine Pageau

Dépôt légal – Bibliothèque et Archives nationales du Québec, 2013
Dépôt légal – Bibliothèque et Archives Canada, 2013

ISBN : 978-2-89657-220-5

Imprimé au Canada

Les éditions les Malins inc.
1445-A rue Wolfe
Montréal (Québec)
H2L 3J5

LA VIE COMPLIQUÉE
DE *Léa Olivier*

5. MONTAGNES RUSSES

CATHERINE GIRARD-AUDET

À Martin, mon meilleur ami, mon complice,
mon confident et celui qui m'endure quand je capote
et deviens encore plus *drama queen* que Léa.
Merci d'être le grand amour de ma vie,
un Alex-Éloi-Thomas réuni en un seul homme
et mon plus grand fan. Je t'aime.

Chapitre 1 :
Léa + Olivier =
Léa Olivier

À : Léa_jaime@mail.com
De : Marilou33@mail.com
Date : Lundi 1er septembre, 11 h 21
Objet : OUACH !

Salut !

Alors, comment se passe ta dernière fin de semaine de liberté ? As-tu fini par te remettre du choc des nunuches ? Je répète que même si c'est vraiment poche de devoir les endurer pendant dix mois, au moins, tu peux aussi compter sur tes amis, qui sont tous dans ton groupe. Moi, c'est le contraire. Même si ça fait quinze ans et demi que j'habite ici et que je fréquente les mêmes personnes, je me sens quand même rejet dans ma classe. Je suis rejet parmi les *nerds*. Je pense que c'est la pire situation au monde ! Si au moins j'étais rejet parmi les cool, je me dirais que c'est une dure réalité de la vie, mais qu'il faut que je grimpe les échelons (un peu comme toi il y a un an, lol !). Mais là, c'est pire ! C'est comme si le directeur avait décidé de diviser les classes en fonction des gangs, mais qu'il avait aussi choisi de me rendre la vie impossible en me séparant de la mienne et en me forçant à m'intégrer à celles de ma classe, qui ne veulent apparemment rien savoir de moi.

Je te jure que je n'exagère pas ! Vendredi, j'ai essayé de fraterniser avec les gens du club d'informatique, mais ils m'ont dévisagée comme si j'étais la pire des cruches. Avant, c'est moi qui les jugeais parce qu'ils étaient *nerds*, alors que maintenant ce sont eux qui me font sentir comme si j'avais la gale! Évidemment, Laurie, JP, Steph et Seb sont tous dans la même classe... ☹ Même Thomas est avec eux! Mon objectif est donc de me faire au moins une amie d'ici Noël pour ne pas être complètement humiliée quand les profs demanderont de faire des activités deux par deux.

Après mon « super » vendredi, j'ai décidé de me changer les idées en organisant une journée de films chez moi avec Steph et Laurie, samedi. Elles ont dormi ici, et c'était vraiment cool! Aujourd'hui, je suis allée faire un tour chez JP. On a regardé des vidéos sur YouTube et on a bien ri. C'est tellement l'*fun* de pouvoir retrouver notre vieille complicité! Le seul danger, ce serait qu'un de nous deux essaie d'aller plus loin... Mais comme je ne veux pas gâcher ce qu'on a ensemble (surtout parce que je le trouve encore vraiment *cute* et que j'éprouve évidemment encore des sentiments pour lui), il faut que je développe un *kick* sur un autre gars assez rapidement! Peut-être un *nerd* de ma classe? Il y en a deux ou trois qui ont quand même du potentiel... ;)
Est-ce qu'on doit vraiment retourner à l'école, demain? Je pense que je préférerais encore repartir en randonnée pédestre! Écris-moi vite! Je veux tes potins!
Lou xox

À : Marilou33@mail.com
De : Léa_jaime@mail.com
Date : Mardi 2 septembre, 18 h 20
Objet : DOUBLE OUACH !

Salut, Lou !
Crois-moi, tu n'es pas la seule qui soit déprimée par la fin des vacances ! Je suis désolée que tu sois rejet dans ta classe, mais qui sait, ça te permettra peut-être de créer des liens et de te faire un nouveau chum parmi les *nerds* ? N'oublie pas que les *geeks* sont très à la mode, en ce moment ! Sans blague, je sais que ce n'est pas évident, mais dis-toi qu'au moins tu as ta gang pendant les pauses, et que tu n'as pas à endurer une bande de nunuches dans tous les cours !

Tu auras deviné que mes chères ennemies ont fait un retour en force en ce début d'année ! Et comble de malheur, j'ai eu mon premier cours d'anglais aujourd'hui, et ma nouvelle prof, madame Potter, est vraiment plus sévère que mon enseignant de l'an dernier. Au lieu d'avoir pitié de moi, j'ai senti qu'elle se joignait presque aux nunuches pour m'humilier. (J'exagère à peine !)

Tout a commencé quand elle a demandé à chacun de se présenter rapidement à voix haute, chose que je déteste vraiment faire, et qui ne s'est évidemment pas très bien passée.

La prof : *OK. You, with the red sweater* (ça, c'est moi. Je portais mon nouveau chandail rouge de Forever 21), *you start.*

Moi : *Euh ! Me ?*

La prof : *Do you see someone else with a red sweater ?*

Maude (en riant) : Léna a mis un chandail qui s'agence avec sa face de tomate !

Moi (en me retournant vers Maude) : C'est toi, le cerveau de tomate !

Jeanne (en souriant) : Bonne répartie, Léa !

La prof : *In english, please !*

Moi : *She has a tomato brain.*

Maude : *You have no brain.*

La prof : *Enough !* C'est assez ! Arrête de parler aux autres et présente-toi devant la classe, *in english, please !*

Maude : *She is Léna and she doesn't speak english !*

La prof a haussé un sourcil.

Moi : Heille ! *It's not* vrai !

La classe a éclaté de rire. La honte. Je ne suis même pas capable de me défendre comme du monde en anglais.

La prof : *OK, Léna. I had enough ! Next !*

Les nunuches se sont mises à rigoler dans mon dos. La prof a vraiment cru que je m'appelais Léna ! J'ai peur que cette histoire me suive jusqu'au bal des finissants !

Olivier : Son nom c'est Léa, pas Léna.

Je me suis tournée vers le nouvel amour de ma vie et je lui ai chuchoté un « merci ». Il ne connaît pas toute l'histoire derrière mon surnom, et j'en suis très heureuse, car ça l'encourage à se porter à ma défense de façon innocente et pure. J'en ai profité pour envoyer un petit sourire suffisant à Maude, qui bouillait. Non seulement le petit nouveau m'a défendue, mais il connaît déjà mon nom ! Un à zéro pour moi !

La prof (d'un air blasé) : *Oh. Sorry, Léa.* Prochaine personne !

Tandis que les autres se présentaient à la professeure, j'en suis venue à la conclusion qu'Olivier était sérieusement l'homme de ma vie. Premièrement, son prénom correspond à mon nom de famille, ce qui est très romantique. Deuxièmement, il est vraiment *cute*. Troisièmement, comme il est nouvellement arrivé, il ne connaît pas tous mes déboires de l'année dernière, alors je peux avoir l'air cool à ses yeux. Et quatrièmement, si je mets le grappin dessus avant Maude, il représentera le plus beau prix de l'univers !

Quand l'heure du dîner est enfin arrivée, j'étais contente à l'idée de retrouver mes amis, mais comme Éloi avait une rencontre avec Éric pour parler de la nouvelle équipe du journal et que Katherine avait un rendez-vous chez le dentiste, je me suis retrouvée coincée avec Jeanne et Alex, qui n'arrêtaient pas de se bécoter. Je suis contente qu'ils soient maintenant à l'aise de s'aimer devant moi, mais ça ne veut pas dire qu'ils doivent faire comme si je n'existais pas !

Pendant l'un de leurs interminables *frenchs*, j'ai jeté un coup d'œil autour de moi et j'ai aperçu Annie-Claude qui mangeait avec ses amis du conseil étudiant, et qui avait apparemment invité Olivier à se joindre à eux. Je ne pouvais pas laisser passer cette chance.

Moi : OK, les amis. Je vous aime beaucoup, mais je vais aller m'asseoir avec Annie-Claude, OK ?
Jeanne (en se détachant d'Alex) : Excuse-nous, Léa ! On ne devrait pas se coller comme ça quand nous sommes seuls tous les trois ! Ça manque de classe. Reste, s'il te plaît.
Alex : Jeanne a raison. C'était impoli de notre part. Reste avec nous, Léa !

Alex m'a suppliée du regard en faisant une face de chien battu.

Moi (en riant un peu) : Ha ! C'est gentil d'insister, mais je vais quand même aller faire un tour à sa table...

J'ai fait de grands yeux à Jeanne pour qu'elle comprenne que je voulais surtout aller m'asseoir avec Olivier.

Alex : Pourquoi tu fais cette face-là ?

Moi : Pour rien.

Jeanne (en me faisant un clin d'œil) : Je comprends maintenant pourquoi tu veux nous abandonner. Vas-y, file !

Alex : C'est quoi, l'affaire ? Je veux comprendre, moi aussi !

Moi (en chuchotant) : Je veux aller à la table d'Annie-Claude parce que le nouveau est là et que je le trouve *cute*. T'es content ?

Alex (en se renfrognant un peu) : Non !

Jeanne : Ben là ! C'est quoi ton problème ? T'es jaloux parce qu'on le trouve *cute* ?

Alex : Non... Ce n'est pas ça. C'est juste qu'il me semble qu'il est ordinaire, ce gars-là !

Jeanne : Ben là ! Ne sois pas casse-pieds avec Léa ! Tu ne le connais même pas ! Tu pourrais lui donner le bénéfice du doute avant de le juger !

Alex a baissé les yeux, puis il m'a regardée en esquissant un petit sourire.

Alex : Jeanne a raison. Je m'excuse. C'est juste qu'en tant que troisième mousquetaire je ne veux rien de moins que la crème de la crème pour toi !

Jeanne (en l'embrassant sur la joue) : T'es fin de penser à son bonheur, Alex, mais je pense que Léa est assez grande pour choisir ses *kicks* toute seule !

Alex (en rougissant) : Ouais, je sais. Léa, si tu penses qu'Olivier a du potentiel, alors tu as ma bénédiction.

Moi : Merci, Alex. Sur ce, je vais aller en apprendre plus sur mon nouveau *prospect* ! Profitez-en donc pour vous *frencher* au lieu de le faire devant moi !

Jeanne a tiré la langue en rigolant avant de se coller contre Alex, qui m'a regardée d'un drôle d'air.

Je peux comprendre que ça lui fasse drôle que j'aie un *kick* sur un autre gars (après tout, c'était bizarre pour moi au début de le voir avec Jeanne), mais il n'a pas besoin de jouer au grand frère, non plus ! Félix me suffit amplement !

Quand je suis arrivée à la table d'Annie-Claude, celle-ci m'a accueillie avec un grand sourire et m'a fait une petite place à côté d'elle. Olivier était assis en face de moi.

Annie-Claude (en m'embrassant sur les joues) : Salut, toi ! Je suis contente de te voir !

Moi : Moi aussi ! Mais je ne voulais pas interrompre votre conversation...

Annie-Claude : Tu n'interromps rien ! J'étais justement en train de faire une description à Olivier des différents comités et de lui tracer un portrait des élèves de notre niveau.

Moi (en regardant Olivier et en prenant un air faussement timide) : J'espère qu'elle n'a pas tracé un mauvais portrait de moi ?

Olivier (en me souriant à son tour) : Pas du tout.

Moi : Moi, c'est Léa, en passant... Mais je ne sais pas pourquoi je te dis ça ! Tu le sais déjà ! D'ailleurs, merci encore de m'avoir défendue en anglais !

J'ai prononcé les deux dernières phrases en riant nerveusement et avec la voix qui mue. J'avais les mains moites. *Relaxe, Léa.*

Olivier s'est contenté de sourire, puis il s'est concentré sur son sandwich. J'ai alors aperçu Maude qui faisait son entrée dans la cafétéria du coin de l'œil. Dès qu'elle m'a vue assise devant Olivier, elle a serré les poings. Sa frustration m'a aussitôt redonné confiance.

Moi : En passant, Olivier, j'ai vécu la même chose que toi l'année dernière, alors n'hésite pas si tu as des questions.

Olivier : C'est gentil.

Annie-Claude : Je lui disais justement que ça aidait de s'inscrire dans des comités ! Léa fait partie du journal étudiant, si ça t'intéresse...

Moi : Ah, oui ! Si tu veux écrire un article, je pourrais en parler aux autres.

Olivier : Euh ! Ouais, pourquoi pas ?

Moi : Quel domaine t'intéresserait ?

Olivier : Les sports. Je suis vraiment calé en hockey.

Merde. Je ne connais rien au hockey à part Youppi !

Moi (en lui offrant mon plus beau sourire) : OK. J'en glisserai un mot à Éloi et Éric.

Mon sourire s'est évaporé quand j'ai vu Maude se matérialiser derrière Olivier.

Maude (en jouant à la fille gentille et remplie de compassion) : Salut, Olivier. Moi, c'est Maude. Je tenais à me présenter et à t'inviter à une petite fête que j'organise chez moi, vendredi soir. Ça te permettrait de rencontrer le monde de ma gang ! Après tout, je sais à quel point ça peut être intimidant d'arriver dans une nouvelle école !

Ha ! C'est intimidant à cause d'elle !

Olivier a semblé surpris.

Olivier : Euh! Enchanté, Maude. Merci pour l'invitation... C'est gentil! Je vais essayer de venir faire un tour.
Maude : Super! Je te transmettrai les infos sur Facebook. À plus!

Elle m'a alors jeté un regard plein de sous-entendus, car elle savait qu'elle venait de marquer un point important. La cloche a sonné quelques instants plus tard et j'ai passé tout le cours de maths à retourner ça dans ma tête. Si elle organise un party, c'est évident que je ne suis pas invitée. Mais si je n'y vais pas, elle aura le champ libre pour coller Olivier. Je dois absolument trouver une solution!! Penses-tu que si Katherine et Jeanne sont invitées, je peux me joindre à elles? Après tout, Maude ne s'est pas gênée pour se pointer à ma soirée d'anniversaire sous prétexte que Félix l'avait invitée! Tu me diras ce que tu en penses.

J'espère que ton mardi s'est déroulé sans trop de drames, et que tu gardes un peu tes distances avec JP! Je suis bien placée pour savoir qu'il ne faut pas trop jouer avec le feu quand il est question d'un ex! À moins que ce soit ce que tu veux... ;)

Écris-moi vite!
Léa

Mercredi 3 septembre

19 h 47

Jeanne (en ligne): Salut! Qu'est-ce que tu fais?

19 h 48

Léa (en ligne): Je m'enferme dans ma chambre pour ne pas entendre Félix me répéter à quel point le cégep est cool. Il m'énerve avec sa liberté et sa joie de vivre! S'il continue, je vais éclater!

19 h 48

Jeanne (en ligne): Lol! J'en conclus que l'adaptation se déroule bien?

19 h 49

Léa (en ligne): L'adaptation se déroule toujours bien pour Félix Olivier! La vie semble toujours facile pour lui, et mes parents le regardent avec tout plein d'admiration! Il me gosse!

19 h 49

Jeanne (en ligne): Je te comprends! Mais dis-toi que sa popularité lui permettra peut-être de nous faire entrer dans des partys du cégep!

Léa (en ligne): Je sais! C'est pour ça que je l'évite au lieu de l'étrangler! ;) Sans compter que j'ai une autre faveur à lui demander...

19 h 50

Jeanne (en ligne): Quelle faveur?

19 h 51

Léa (en ligne): C'est une longue histoire. Tout a commencé ce midi quand j'ai appris que Maude organisait un party vendredi.

19 h 52

Jeanne (en ligne): Ouais, je sais. Katherine et moi avons reçu une invitation par Facebook... Mais ne t'en fais pas: on ne comptait pas y aller! Comme Mike a remis sa visite à cette semaine et qu'il ne sera là que deux jours, Kath veut profiter de chaque instant pour être seule avec lui. Quant à moi, je préfère passer une soirée avec Alex et toi plutôt que de me taper une soirée chez elle!

19 h 53

Léa (en ligne): Non! Il faut que tu y ailles!

19 h 53

Jeanne (en ligne): Hein? D'où vient cette soudaine envie que je retisse des liens avec Maude?

19 h 54

Léa (en ligne): Beurk! Ce n'est pas ça du tout! Le problème, c'est que Maude a aussi invité Olivier à son party...

19 h 54

Jeanne (en ligne): Et tu ne veux pas qu'elle en profite pour se rapprocher de lui!

19 h 54

Léa (en ligne): Bingo! Ni qu'elle lui raconte plein de choses à mon sujet...

19 h 55

Jeanne (en ligne): Tu veux donc que j'y aille pour les surveiller et pour l'empêcher de se coller sur lui?

19 h 55

Léa (en ligne): Non! Je veux que tu y ailles pour que je puisse y aller avec toi!

19 h 56

Jeanne (en ligne): Ouuuh! C'est audacieux! Tu n'as pas peur qu'elle te refuse l'entrée?

Léa (en ligne): Non, car j'aurai une arme secrète!

19 h 58

Jeanne (en ligne): Qui ça? José?

19 h 58

Léa (en ligne): Mieux encore: Félix! Tu te souviens que, à ma fête, elle s'est invitée chez moi sous prétexte que Félix l'avait invitée?

19 h 59

Jeanne (en ligne): Oui!

19 h 59

Léa (en ligne): Comme Katherine m'a confirmé que Félix était bel et bien sur la liste des invités sur Facebook, je n'aurai qu'à me pointer chez elle en prétextant que mon frère m'a demandé de l'accompagner! C'est ingénieux, non?

20 h 00

Jeanne (en ligne): Tellement! C'est donc ça, la faveur que tu veux lui demander! Est-ce que tu crois qu'il va accepter?

20 h 01

Léa (en ligne): Je ne sais pas, mais il me reste deux jours pour le convaincre! Bref, comme Katherine et Éloi n'y vont pas, tu comprends que j'ai ABSOLUMENT besoin d'Alex et de toi pour me soutenir et ne pas perdre la face!

20 h 02

Jeanne (en ligne): C'est compris! Compte sur nous pour t'aider!

20 h 02

Léa (en ligne): Génial! Et maintenant que mon plan est en branle, je dois sortir de ma chambre et faire semblant que je suis super contente que tout aille toujours comme sur des roulettes dans la vie de Félix!

20 h 03

Jeanne (en ligne): Bon courage! Tu me raconteras la suite demain! ☺

20 h 03

Léa (en ligne): xx

À : Léa_jaime@mail.com
De : Marilou33@mail.com
Date : Mercredi 3 septembre, 22 h 11
Objet : Il n'y en aura pas de facile…

Coucou !

Nous en sommes au jour 2 de l'année scolaire et j'en ai déjà ma claque ! J'avoue que le fait d'être rejet dans ma classe ne m'aide pas, même si j'ai fait quelques progrès aujourd'hui. Tu te souviens qu'en secondaire 1, on se tenait un peu avec Marie-Pier et qu'on la trouvait gentille ? Depuis, j'avoue qu'on s'est un peu perdues de vue, puisqu'on a chacune nos gangs, mais comme elle est dans ma classe, je me suis dit que c'était le moment ou jamais de rattraper le temps perdu. Je lui ai donc offert de se mettre en équipe avec moi, ce matin, dans le cours de français. Heureusement pour moi, elle a accepté, et on s'est super bien entendues. J'ai donc bon espoir d'avoir une partenaire au cours des dix prochains mois ! :)

Pour ce qui est des gars, j'ai consacré tout mon cours de sciences à observer ceux de ma classe, et je m'apprêtais à jeter la serviette quand mon regard a croisé celui de Christian. Il m'a souri et j'ai remarqué qu'il avait un certain charme. S'il troquait ses jeans noirs trop serrés pour des jeans plus relaxes et ses chemises à carreaux pour des t-shirts unis, je pense qu'il aurait du potentiel ! Qu'est-ce que t'en penses ? Je sais que tu ris de moi en ce moment, mais ton courriel m'a fait réfléchir, et j'en suis venue à la conclusion qu'il valait mieux avoir un *kick* sur un autre gars, question de m'assurer de garder mes distances avec JP.

Au fond de mon cœur, c'est évident que j'aimerais que ça marche encore entre lui et moi, mais je n'ai tellement pas envie de revivre une peine d'amour ou une autre rupture que j'aime mieux ne pas «jouer avec le feu» et plutôt essayer de m'intéresser à Christian. Penses-tu que ça se puisse de s'amouracher de quelqu'un sur commande?

Je réalise que la rentrée n'est pas plus facile de ton côté! Lol! Pauvre toi! Madame Potter n'a vraiment pas l'air évidente! Mais tu m'as sincèrement épatée avec ton cerveau de tomate! Et je pense que tu as tous les droits de t'imposer chez Maude après ce qu'elle a fait à ta fête! Si Olivier n'était pas dans le portrait, je te suggérerais peut-être de laisser tomber (on ne veut quand même pas que tu passes pour une groupie des nunuches), mais là, il faut vraiment que tu agisses avant qu'elle lui jette un sort et le transforme en José soumis! D'ailleurs, je suis allé voir sa photo sur Facebook, et c'est vrai qu'il a l'air très *cute*.

Tiens-moi au courant des développements! Je dois aller me coucher, car j'ai un entraînement de natation demain avant l'école (zzz).
Lou xox

À : Marilou33@mail.com
De : Léa_jaime@mail.com
Date : Jeudi 4 septembre, 17 h 01
Objet : À l'attaque !

Coucou !
Je suis contente que tu aies repris contact avec Marie-Pier ! C'est vrai qu'on s'amusait bien avec elle et qu'elle est très gentille comme fille ! Pour ce qui est de Christian, j'avoue que je suis un peu étonnée par ta motivation, surtout qu'il n'est pas du tout ton style ! C'est évident que ton *makeover* le rendrait plus mignon, mais tu ne peux pas non plus le transformer et en faire une copie non conforme de ton ex ! Lol ! Un JP *geek* ! Mais d'un autre côté, je comprends ton besoin de jeter ton dévolu sur un autre gars; je pense que c'est un peu ce qui m'est arrivé cet été avec Julien le ténébreux (et avec Adam, mais l'anecdote est encore trop honteuse pour que j'en parle !). Bref, si ça te fait du bien de t'imaginer en couple avec Christian-qui-porte-des-jeans-moins-serrés-et-qui-a-laissé-tomber-les-chemises-à-carreaux, alors continue ! ☺

Moi, j'ai décidé de mettre mon plan à l'action ! Je suis super fine avec Félix depuis hier soir pour essayer de le convaincre de venir avec moi. Quand je l'ai complimenté sur sa coupe de cheveux, ce matin, il s'est même étouffé avec ses céréales. Mon père a plissé les yeux et m'a regardée d'un drôle d'air.

Mon père : Depuis quand tu complimentes ton frère ?
Moi : Depuis qu'il a une belle coupe de cheveux. J'aime son chandail, aussi.

Félix a haussé un sourcil puis il est monté se brosser les dents.

Mon père : Maintenant que Félix est parti, veux-tu me dire pourquoi tu es gentille comme ça avec lui ?
Moi : Ben là ! Vous me cassez tout le temps les oreilles à propos de l'harmonie familiale, et quand je me décide à être fine avec lui, vous me dites que c'est louche ! Faudrait se décider !

Je suis allée chercher mon sac à dos avant qu'il ne me pose plus de questions et que je craque sous la pression. Heureusement, mes parents ne sont pas à la maison en ce moment, alors je peux être aussi fausse que je le veux avec Félix. J'attends d'ailleurs que son film finisse pour le rejoindre au salon et faire semblant de m'intéresser à ses passions (les filles et le hockey). Ensuite, je n'aurai qu'à lui demander de m'accompagner chez Maude en imitant le Chat potté dans *Shrek* (mon père dirait que c'est du chantage émotif, mais tant pis !). J'espère qu'il va accepter. Sinon, mon plan est foutu !

Si tout fonctionne, Jeanne et Alex nous accompagneront jusque chez Maude. Éloi a un empêchement familial, alors il ne peut pas se joindre à nous, et Katherine a décidé de consacrer chaque minute de son temps à aimer son Mike, qui vient enfin passer la fin de semaine à Montréal. Comme ça fait presque deux mois qu'elle ne l'a pas vu, je la comprends un peu ! Elle est d'ailleurs vraiment nerveuse à l'idée de passer du temps avec lui. Ce midi, comme elle semblait sur le bord d'une crise de nerfs, je lui ai proposé d'aller faire une balade à l'extérieur. On s'est assises dans le parc près de l'école et elle a poussé un long soupir.

Moi : Ça ne va pas ?
Katherine : Je ne veux pas te casser les oreilles avec ça... J'ai l'impression que je vous parle tout le temps de Mike. Ça doit commencer à vous taper sur les nerfs !
Moi : Pas du tout ! Et je suis sûre que quand je sortirai avec Olivier ce sera la même chose pour moi.

J'ai dit la dernière phrase en souriant. Katherine m'a regardée d'un drôle d'air.

Katherine : T'es confiante... J'aime ça !
Moi : Il faut bien ! Mais dis-moi donc ce qui te tracasse. Est-ce que c'est juste la nervosité de le revoir ?
Katherine : Oui et non... J'avoue que quand il m'a fait faux bond la semaine dernière, ça m'a un peu refroidie.
Moi : Est-ce qu'il t'a expliqué pourquoi ça ne fonctionnait pas ?

Katherine : Il m'a juste dit que c'était sa première semaine de «collège» et qu'il y avait plein «d'événements». Ça ne me rassure pas trop, tout ça... Il va habiter en résidence toute l'année ! Tu sais comme moi ce qui se passe dans les appartements universitaires américains...

Moi (en écarquillant les yeux) : Euh ! Non.

Katherine : Ben là ! Dans les films, tout le monde fait le party et toutes les filles se garrochent sur les gars !

Moi : Katherine... Tu n'es pas en train de paranoïer un petit peu ? Les films, c'est toujours une grosse caricature de la réalité !

Katherine : Ouin... Peut-être.

Moi : Et si tu veux que ça marche avec Mike, il va falloir que tu lui fasses confiance !

Katherine : Je sais. Je suis juste un peu déçue qu'il ait annulé alors qu'on avait l'occasion de se voir pendant trois jours.

Moi : Réjouis-toi plutôt du fait qu'il arrive demain et que tu pourras enfin le serrer dans tes bras !

Katherine (en soupirant) : T'as raison ! Merci, Léa. Désolée d'être aussi paquet de nerfs. Il faut dire que ça me stresse aussi de le voir en vrai !

Moi : Je comprends ! Et c'est quoi vos plans ? Il va rester chez son ami ?

Katherine : Oui. Heureusement, il n'habite qu'à trois stations de métro de chez moi, alors ce n'est pas si mal. J'ai dit que j'irais le rejoindre là-bas demain à 19 h. Samedi, on est censés passer la journée les deux seuls ensemble ! Je pensais lui faire découvrir les coins de Montréal que j'aime le plus. Et dimanche, il doit repartir aux États-Unis, alors j'aime mieux ne pas y penser...

Moi (en me relevant) : C'est une bonne stratégie ! Tu fais vraiment mieux de te concentrer sur le positif. Et si jamais, demain, vous cherchez une activité, ne vous gênez pas pour venir m'offrir votre soutien chez Maude ! Ça alimentera mon pouvoir contre les nunuches !

Katherine : OK, mais je ne te promets rien ! Bon, il faut y aller, si on ne veut pas être en retard au cours d'anglais. Madame Potter n'a pas l'air d'être la prof la plus relaxe au monde !

Heureusement, nous sommes arrivées à l'heure au cours, et j'ai passé toute la période à me cacher derrière les cheveux de Katherine pour éviter que mon regard croise celui de la prof et qu'elle me pose encore des questions. Je n'avais aucune envie de me ridiculiser pour la deuxième fois en moins d'une semaine !

Je dois vite te laisser : Félix vient de terminer son film !
Léa xx

P.-S. : Comment ça se passe avec JP ?
P.P.-S. : Et Thomas ? (Je sais, je sais... Mais je suis curieuse.)

P.P.-S. 2 : Peux-tu croire que Félix n'a pas de cours le lundi avant-midi, ni le vendredi après-midi, et qu'il ne commence qu'à 11 h le mardi et le mercredi ? C'est tellement injuste ! J'ai TROP hâte au cégep ! C'est la liberté la plus totale ! ! Et mon frère dit que les gangs de nunuches, ça n'existe plus ! Genre, que tout le monde est ami ! Je capote !

Jeudi 4 septembre

17 h 09

Léa (en ligne): Hé! Je t'ai crié de venir dans ma chambre parce que j'avais quelque chose à te dire! Pourquoi tu t'es enfermé dans la tienne?

17 h 10

Félix (en ligne): Parce que j'ai peur de toi.

17 h 11

Léa (en ligne): Comment ça? Je suis plus petite que toi. Je suis inoffensive!

17 h 11

Félix (en ligne): Tu n'es pas inoffensive quand tu me complimentes sur mes cheveux et mes choix vestimentaires. Tu prépares quelque chose, Léa Olivier!

17 h 12

Léa (en ligne): Pfff! Tellement pas.

17 h 12

Félix (en ligne): Non? Alors tu ne m'appelais pas dans ta chambre pour me demander un service?

17 h 13

Léa (en ligne): ...

17 h 13

Félix (en ligne): Qu'est-ce que tu veux ?

17 h 13

Léa (en ligne): Toi, qu'est-ce que tu veux ?

17 h 14

Félix (en ligne): Hein ?

17 h 14

Léa (en ligne): Admettons que ta supposition soit vraie et que je veuille te demander un service, qu'est-ce que tu voudrais en retour ?

17 h 15

Félix (en ligne): Disons que ça dépend du service que tu t'apprêtes à me demander.

Léa (en ligne): Allons-y plutôt à l'aveugle! Si tu sais que je veux quelque chose, qu'est-ce que tu penses qui équivaut à ce que je veux parmi ce que toi tu veux?

17 h 16

Félix (en ligne): *Dude*, je comprends même plus ce que tu dis.

17 h 16

Léa (en ligne): *Dude*? Vraiment? Après le *yo*, on passe au *dude*? C'est le cégep qui te rend cool comme ça?

17 h 17

Félix (en ligne): Avertissement! Me niaiser n'aide en rien ta cause.

17 h 17

Léa (en ligne): Tu as raison! C'est cool, le mot «*dude*».

17 h 17

Félix (en ligne): Léa?

17 h 18

Léa (en ligne): Oui, *dude*?

17 h 18

Félix (en ligne): Accouche! Qu'est-ce que tu veux?

17 h 19

Léa (en ligne): OK, OK! Tu sais comment ça peut être le *fun*, les partys?

17 h 19

Félix (en ligne): Ouais... Ou du moins quand ce n'est pas toi qui les organises. ;)

17 h 20

Léa (en ligne): Eh bien, justement! Je veux que tu m'accompagnes dans un party, et ce n'est pas moi qui l'organise! (Qu'est-ce qu'ils ont mes partys?)

17 h 21

Félix (en ligne): Où? Qui? Et quand? Tu dois comprendre que ça ne me tente plus trop de traîner avec des enfants du secondaire, Léa. (Je ne tripe pas trop sur les soirées de potinage et de manucure.)

Léa (en ligne): Premièrement, je n'organise pas JUSTE des soirées de manucure! Enfin... peut-être, mais ce n'est pas de ma faute, car l'an passé, je n'avais pas assez d'amis pour organiser de «vrais» partys... Mais je veille à ce que ça change cette année. Deuxièmement, pour un gars qui n'a pas envie de passer du temps avec des «enfants» de mon âge, tu ne t'es pas gêné pour sortir avec l'une de mes amies, qui a elle aussi quinze ans! Troisièmement, c'est le party chez Maude auquel tu as été invité sur Facebook. Et ne va pas t'imaginer que je t'espionne; c'est Katherine qui me l'a dit...

17 h 24

Félix (en ligne): Ah oui, c'est vrai. J'avais oublié ce party-là. Désolé, Léa, mais j'ai déjà fait des plans pour demain.

17 h 25

Léa (en ligne): Non! Tu ne comprends pas: il FAUT que tu viennes! C'est une question de vie ou de mort!

Félix (en ligne): T'es tellement *drama queen*.

Léa (en ligne): Non, je t'assure que c'est essentiel que tu m'accompagnes! Laisse-moi te résumer la situation: si tu viens avec moi chez Maude, je pourrai me pointer d'un air sûr de moi comme elle l'a fait à ma fête, mais si tu ne viens pas, je vais juste avec l'air d'une *loser* qui s'impose alors qu'elle n'a pas été invitée!

Félix (en ligne): Ce n'est pas un peu ça que tu es?

Léa (en ligne): Pfff! Tellement pas! Si tu es là, j'ai simplement l'air de la fille qui accompagne son frère cool (aux yeux de certains) et qui rejoint sa gang.

Félix (en ligne): Mais pourquoi tu tiens à aller au party de Maude si tu ne la supportes pas? Il me semble que ce n'est pas ton genre de jouer à la groupie.

17 h 28

Léa (en ligne): Je vais prendre ça comme un compliment! Et si ça peut te rassurer, je ne vais pas là pour devenir amie avec Maude; je vais là pour la surveiller.

17 h 28

Félix (en ligne): Et c'est pas *loser*, ça?

17 h 29

Léa (en ligne): Non, car je veux l'empêcher de mettre la main sur un gars qui me plaît. Elle s'est arrangée pour l'inviter en s'imaginant que je ne serais pas là pour lui mettre des bâtons dans les roues... mais elle ne perd rien pour attendre!

Félix (en ligne): Donc, tu veux que je t'accompagne dans un party plate pour que tu puisses *frencher* un gars avant elle? Ark!

Léa (en ligne): Ben non! Je ne veux pas le *frencher* (en tout cas, pas tout de suite... Hi! Hi!). Je veux juste qu'il réalise à quel point je suis formidable avant que Maude pose ses griffes de nunuche sur lui! S'il te plaît, Félix! Pense à tout ce que j'ai fait pour t'aider l'an dernier avec Katherine!! S'IL TE PLAÎT! Tu serais le frère le plus formidable de la planète, et je t'en serais à jamais reconnaissante! :)

Félix (en ligne): J'aimerais bien t'aider, Léa, mais j'ai mon party de début de session dans un bar demain, et je n'ai aucune envie de rater ça pour une soirée plate chez Maude.

Léa (en ligne): Tu n'as même pas encore dix-huit ans! Comment tu vas faire pour entrer dans un bar?

Félix (en ligne): J'aurai dix-huit ans dans deux semaines, alors je ne pense pas que le portier du bar en fasse un cas. Mais au pis aller, j'ai une fausse carte.

Léa (en ligne): T'es ben rebelle!

Félix (en ligne): Je ne suis pas rebelle! Tout le monde a une fausse carte au cégep.

Léa (en ligne): Alors tu n'as qu'à m'accompagner au party de Maude avant d'aller rejoindre tes amis rebelles! Ou mieux encore: on va faire un tour chez Maude, puis on s'en va à ton party! Je suis sûre que t'es capable de me dénicher une fausse carte, non? Je te JURE que je ne dirai rien aux parents.

17 h 36

Félix (en ligne): Mais je m'en fous que tu en parles aux parents! Je n'ai pas envie d'être coincé dans un party de cégep avec ma petite sœur! Tu vas faire fuir toutes les filles!

17 h 37

Léa (en ligne): Bon, alors tu iras dans ton party et j'appellerai les parents pour qu'ils viennent me chercher. Si tu acceptes, je ferai ta corvée de lave-vaisselle pendant deux semaines!

17 h 37

Félix (en ligne): Tu m'énerves.

17 h 38

Léa (en ligne): Est-ce ça veut dire oui?

17 h 37

Félix (en ligne): OK. Mais je ne reste pas plus d'une heure!

17 h 38

Léa (en ligne): Merci, grand frère préféré!

À : Léa_jaime@mail.com
De : Marilou33@mail.com
Date : Vendredi 5 septembre, 23 h 14
Objet : Drôle de soirée...

Coucou !

Décidément, c'est une semaine bizarre qui a commencé par une déprime généralisée mais qui s'est terminée sur une bonne note. Je t'explique : cet après-midi, j'ai profité d'un exercice à deux en anglais pour demander à Marie-Pier ce qu'elle pensait de Christian. (Aujourd'hui, il portait des jeans moins serrés et une chemise trop grande, mais unie. On constate une amélioration !) Elle m'a dit qu'elle lui trouvait aussi un petit quelque chose, et elle m'a appris qu'il était sorti avec une fille plus vieille que lui l'année dernière. Je me suis dit que c'était sûrement un signe de maturité, alors je me suis décidée à aller le voir à son casier après les cours.

Moi (un peu mystérieuse) : Salut, Christian.
Lui (un peu surpris) : Salut, Marilou.

On est restés silencieux quelques secondes. C'est bien beau d'aller le voir, mais je n'avais pas trop pensé quoi lui dire pour briser la glace. J'ai donc prétexté une faiblesse en mathématiques.

Moi : Dis donc, je sais que tu as généralement de bonnes notes, et comme nous sommes dans la même classe, je me demandais si tu pouvais me donner un coup de main en maths.

Lui : Euh ! OK. Mais l'année vient à peine de commencer ! Qu'est-ce que tu ne comprends pas ?

Oups. Je n'avais pas pensé à ça.

Moi : Euh ! Le problème, c'est que je n'ai pas trop compris la matière qu'on a vue à la fin de l'année dernière. (Je te jure que je ne sais même pas de quelle matière je parle.) Est-ce que c'est correct si on révise un peu ensemble ? J'ai eu du mal à comprendre ce que le prof racontait cette semaine, alors je me dis que si je replonge un peu dans mes notes avec toi, ça va m'aider.

Lui (en haussant les épaules) : OK.

Moi (en souriant) : En fin de semaine ?

Lui (en haussant un sourcil) : Tu veux réviser tes notes de l'an passé en fin de semaine ? T'es motivée !

Moi : Ben, ce n'est pas ça que vous faites, vous, les *ner*... euh !, les élèves qui avez de bonnes notes ?

Lui (un peu sur la défensive) : Non, Marilou. J'ai une vie, moi aussi.

J'avoue que j'ai été surprise par sa répartie et par son assurance. Mon faux béguin commençait à se transformer en vrai *kick*.

Moi : Excuse-moi. Je ne voulais pas insinuer que tu ne faisais rien d'autre de tes journées… C'est juste que ça m'impressionne, les gars qui ont de bonnes notes.

Christian m'a regardée en souriant.

Lui : Ne pousse pas trop, quand même !

Je me suis contentée de sourire en retour.

Lui : Bon, OK. On peut se voir dimanche, si tu veux.
Moi : Cool ! Chez moi ou chez toi ?
Lui : Viens donc chez moi. Comme ça, tu pourras voir que les murs de ma chambre ne sont pas couverts de formules mathématiques.
Moi : OK ! Ça me permettra aussi de prendre une pause de mon petit frère.
Lui : Si tu t'attends à avoir la paix, je t'avertis tout de suite : j'ai deux demi-sœurs et deux demi-frères qui vont nous jouer dans les pattes toute la journée.
Moi : C'est correct. Je suis habituée ! Tu veux me donner ton adresse ?
Lui : Je peux te l'envoyer par Facebook.

J'ai acquiescé d'un air surpris.

Lui : T'es étonnée que je sois sur Facebook, hein ?
Moi : Je n'ai rien dit !

Lui (en s'approchant un peu de moi) : Non, mais ça se voit sur ton visage. À dimanche, Marilou.

Je me suis retournée en souriant d'un air satisfait. J'ai deux jours pour m'inventer des faiblesses en mathématiques, mais ça, c'est un détail.

J'ai levé les yeux et j'ai vu JP qui était planté devant sa case et qui m'observait d'un drôle d'air. Il a pris son sac à dos et il a marché vers moi.

Moi : Qu'est-ce qu'il y a ? Pourquoi tu me regardes comme ça ?
JP (un peu abruptement) : Pourquoi tu parlais à Christian Riopel ?
Moi : Parce qu'il est dans ma classe, et que je le trouve gentil. C'est quoi, le problème ? Tu ne l'aimes pas ?
JP : Ce n'est pas que je l'aime pas... Mais je me méfie de lui.
Moi : Pourquoi ?
JP : Il a l'air de rien comme ça, mais il est un peu *player* à ses heures.

J'ai éclaté de rire. Que Christian ait une vie à l'extérieur de l'école et qu'il soit sorti avec une fille plus vieille passe encore, mais de là à m'imaginer qu'il est un coureur de jupons et un briseur de cœurs, il y a des limites.

J'ai toutefois décidé de ne rien répondre. Je savais bien que JP réagissait comme ça parce qu'il était jaloux de me voir sympathiser avec un autre gars que lui, et j'avoue que ça m'a fait du bien. Je sais que l'objectif, ce n'est pas de faire de la peine à JP ou de jouer avec Christian pour ravoir mon ex, mais ça ne m'empêche pas de sentir un peu petit pincement de satisfaction quand je le vois souffrir un peu !

JP et moi avons ensuite rejoint Steph, Laurie et Seb, qui nous attendaient dehors. Thomas traînait un peu plus loin avec sa Sarah Beaupré. Elle avait l'air en pleurs.

Moi : Bon, qu'est-ce qu'elle a encore ? Elle a cassé un de ses ongles ?
Seb : Non... Thomas m'a raconté qu'il lui avait demandé de prendre une pause en fin de semaine. Mais comme tout va mal dans sa vie, elle insiste pour qu'ils restent ensemble.
Moi : Ouach ! Elle n'a ben pas d'orgueil !
JP : C'est facile à dire quand on parle de quelqu'un d'autre, mais tu sais comme moi que ce n'est pas facile de se séparer quand on aime encore l'autre.

Steph et moi avons échangé un regard surpris. Ce n'est pas le genre de JP d'être aussi émotif.

Moi : Je sais bien, JP, mais je ne vais quand même pas me mettre à avoir pitié d'elle. Elle m'a trop fait *rusher* pour ça.

Laurie : Marilou a raison. Et je pense que si Thomas veut prendre une pause, c'est sûrement parce qu'elle a couru après.

Moi : Ça, ça reste à voir. Il ne faut pas donner trop de crédit à Thomas, quand même.

JP et Seb (un peu frustrés) : Heille !

Moi : C'est bon ! J'arrête de parler contre vos amis. On y va, les filles ?

Steph a rapidement embrassé Seb sur la joue et s'est avancée vers moi, suivie de Laurie.

JP : Vous allez où ?

Moi : On s'était dit qu'on passerait une soirée entre filles. Pourquoi ?

JP : Pour rien... Je me disais juste que ce serait le *fun* d'être tout le monde ensemble.

J'ai jeté un coup d'œil vers Steph. Je voyais bien qu'elle avait envie elle aussi de rester avec les gars (plus précisément avec son chum).

Moi : Bon, OK. Qu'est-ce qu'on fait ?

Seb : On pourrait aller jouer aux quilles ! Ça fait longtemps, et c'est toujours drôle !

Moi : C'est drôle pour vous parce que vous êtes doués !

JP (en me prenant par les épaules) : Je vais t'aider, si tu veux.

J'ai immédiatement ressenti une boule dans le ventre. Chaque fois que JP me touche ou me frôle, c'est la même chose. Je me suis rapidement défaite de son étreinte, et nous sommes allés manger au casse-croûte avant de nous rendre au salon de quilles. Malgré mes appréhensions, la soirée s'est bien déroulée. Je me suis arrangée pour garder mes distances physiques avec JP, question de ne plus avoir d'électrochocs, et j'ai même réussi à faire un abat !

Thomas était censé venir nous rejoindre, mais à ce que je crois comprendre, il a passé la soirée à consoler Sarah. Steph m'a raconté qu'il en avait assez de ses crises de jalousie, qu'il ne l'aimait plus comme avant et que c'est pour ça qu'il pensait casser avec elle, mais que ce n'était pas facile.

Je comprends que tu veuilles des potins. J'espère que ceux-ci te suffisent pour le moment. J'essaierai d'en apprendre plus au cours des prochains jours.

Ah oui, et quand on est partis du salon de quilles, JP a insisté pour me raccompagner chez moi. Ça y est, il est devenu galant en plus ! Argh. Je t'avoue que ça ne me laisse pas indifférente qu'il soit si gentil. Est-ce que tu penses que je vais le regretter si je le laisse m'échapper ?

Et toi, ta soirée ? Le party ? Est-ce que Maude l'ingrate t'a empêchée d'entrer chez elle ? Est-ce que ton frère est resté assez longtemps pour que tu puisses séduire Olivier ?

Je veux vite des nouvelles !
Lou xox

À : Léa_jaime@mail.com
De : Thomasrapa@mail.com
Date : Samedi 6 septembre, 11 h 22
Objet : Thomas dans la métropole

Salut !
Je n'ai pas eu de nouvelles de toi depuis mon dernier courriel, mais je voulais simplement t'annoncer que j'irai à Montréal vendredi le 3 octobre avec mon oncle. Comme on repart le lendemain matin, j'espère pouvoir t'arracher quelques minutes de ton temps pendant que je suis en ville.

Je suis vraiment curieux de connaître ton nouveau monde !

J'espère avoir de tes nouvelles bientôt,
Thomas

Inscris un titre: Mon ex

Écris ton problème: Salut, Manu! Je t'écris parce que je suis un peu en panique. Je viens tout juste de recevoir un courriel de mon ex, Thomas. Il m'annonce qu'il passera une soirée à Montréal au début du mois d'octobre et qu'il aimerait me voir. Je capote. Je sais que j'en ai envie, mais d'un autre côté, j'ai peur de ce qui pourrait arriver. Ça m'a pris un temps fou à me remettre de ma peine d'amour et je n'ai aucune envie de revivre ça... Surtout en sachant qu'il habite loin, et qu'il fréquente encore une fille que je déteste.

Qu'est-ce que je devrais faire?
Léa xox

Manu répond à deux questions par semaine. Tu seras peut-être choisie...

Chapitre 2 :
La chasse est ouverte !

À : Marilou33@mail.com
De : Léa_jaime@mail.com
Date : Samedi 6 septembre, 14 h 22
Objet : La guerre des ex

LOU!!!
Pourquoi es-tu à la piscine quand j'ai besoin de te parler??? Je t'ai envoyé mille textos sans réponse, et c'est finalement ta mère qui m'a dit que tu avais un entraînement tout l'après-midi! Comme je ne suis pas capable d'attendre, je vais t'écrire tout ce qui s'est passé au cours des vingt-quatre dernières heures! Je t'avertis, c'est intense!

Tout a commencé quand Félix, Jeanne, Alex et moi avons sonné à la porte, chez Maude. (Je dois avouer que sa maison est vraiment *cute*. Je préférais l'imaginer vivre dans un bunker!) Ce sont Lydia et Sophie qui sont venues nous ouvrir. On pouvait entendre de la musique et des rires résonner à l'arrière. Si tu avais vu leurs visages quand elles m'ont aperçue devant elles! Elles ont ouvert la bouche, mais elles n'ont pas été capables de prononcer un seul mot.

Moi : La soirée est fraîche; vous pouvez nous laisser entrer?
Lydia : Euh! OK.

Sophie (en lançant un regard noir à Lydia) : Ben non, épaisse. Maude va nous tuer si on laisse Léa se joindre au party.

Moi : Vous n'avez qu'à aller la chercher. Je vais m'arranger avec elle.

Sophie est allée chercher Maude, tandis que Lydia nous dévisageait sans trop savoir quoi dire.

Lydia : J'aime ton top, Jeanne. Il met tes yeux en valeur.

Jeanne : Merci. Je ne savais pas qu'on pouvait mettre le brun en valeur.

Lydia : ...

Moment de silence et de malaise. Félix a poussé un long soupir et m'a fait signe avec sa montre pour m'indiquer qu'il n'avait pas le goût de niaiser là pendant dix minutes. Je n'ai pas eu le temps de le calmer, puisque j'ai aperçu Olivier qui arrivait derrière nous. Il s'est approché de moi pour m'embrasser sur les joues (il a fait la même chose avec Jeanne, mais elle m'a confirmé qu'il s'était plus attardé sur les miennes ! C'est un signe, non ?).

Olivier : Salut, Léa ! Je suis content que tu sois ici. J'avais peur de ne connaître personne.

Moi aussi j'étais contente de le voir ! Non seulement ça me permettait de me rapprocher de lui, mais en plus, je savais que Maude n'oserait jamais faire une crise devant lui. Il ne faut pas oublier qu'elle jouait son rôle de « fille-qui-est-donc-gentille-avec-les-nouveaux-de-l'école » !

Je n'ai pas eu le temps de lui répondre, car Maude nous a interrompus.

Maude (d'un ton agressif) : Léa ? Qu'est-ce que tu fais là ?

Quand elle a vu Olivier et Félix, son visage s'est empourpré.

Moi (en souriant d'un air satisfait) : Eh bien, comme tu vois, j'ai décidé de venir faire un tour avec Félix, qui m'a invitée, et mes amis. On peut se joindre à la fête ?

Maude m'a envoyé un regard noir, mais elle s'est poussée pour nous permettre d'entrer dans sa maison.

On s'est rendus au salon. Heureusement pour moi (et Félix), Maude avait invité des gens de secondaire 5 qui connaissaient bien mon frère. Je venais donc de gagner au moins trente minutes de répit.

Jeanne et Alex se sont assis dans un coin, et j'en ai profité pour m'installer près d'Olivier et engager la conversation avant que Maude ne nous interrompe.

Moi (en battant des cils) : Alors, pourquoi as-tu changé d'école cette année ?
Lui : En fait, j'habitais aux États-Unis depuis deux ans. Mon père voyage beaucoup à cause du travail, et on vient tout juste de revenir à Montréal.
Moi : Wow ! Moi, je viens d'une toute petite ville à 400 kilomètres d'ici, et j'ai trouvé ça difficile de m'adapter l'année dernière. Je n'imagine même pas ce que ce doit être pour toi de changer de pays !
Lui : C'est un peu difficile à cause des amis que j'ai laissés derrière moi, mais je suis habitué à déménager, alors ça va. Et je ne peux pas dire que les élèves de ma nouvelle école ne sont pas accueillants.

Je ne sais pas s'il faisait référence à moi ou à Maude, mais j'ai décidé de le prendre comme un compliment.

Moi : Oh, mais je pense à ça, si tu as habité aux États-Unis, ça veut sûrement dire que tu es parfaitement bilingue ?
Lui : Ouais. Au moins, je peux être sûr que je n'aurai pas de difficulté en anglais cette année.
Moi : On ne peut pas en dire autant de moi, comme tu as pu le constater cette semaine...
Lui : Si tu veux, je pourrais t'aider.

Bingo ! Il a mordu à l'hameçon ! C'est drôle, car nous avons toutes les deux utilisé la même technique de *cruise* ! Vive le tutorat pour nous rapprocher de nos *kicks* !

Moi (en feignant d'être surprise) : Oh, ce serait vraiment gentil, car j'avoue que j'en arrache !
Maude (en arrivant derrière nous) : Olivier, je vois que tu as déjà rencontré Léa…
Lui : Ouais, on avait déjà fait connaissance à l'école.
Maude (d'un air faussement gentil) : Hum, hum ! Alors, pourquoi ne pas en profiter pour rencontrer de nouvelles personnes ? Viens, je vais te présenter à mes amis.

Elle l'a pris par la main et l'a entraîné loin de moi après m'avoir jeté un regard noir. Jeanne et Alex sont aussitôt venus me rejoindre.

Jeanne : Alors ? Quoi de neuf ? Vous aviez l'air en grande discussion !
Moi (en chuchotant) : J'ai appris qu'il a vécu deux ans aux États-Unis, et il m'a proposé de m'aider en anglais !
Jeanne : Heille ! Je pensais que c'était moi, ta tutrice privée !
Moi (en lui faisant un câlin) : Oui, je sais, mais je ne pouvais pas refuser son offre… Tu es donc renvoyée jusqu'à ce que je sorte avec lui !

Jeanne a éclaté de rire et Alex a détourné les yeux en fronçant les sourcils.

Moi : Ça va, Alex ? Tu t'amuses ?
Jeanne : Monsieur est grognon, car il n'aime pas les partys.
Moi : Hein ? Depuis quand tu n'aimes pas les partys ?
Alex : Bof, je ne sais pas. Je ne me sens pas trop « party », ce soir. Je vais aller me servir à boire.

Alex s'est éloigné et j'ai jeté un regard autour de moi pour repérer Olivier. Il était entouré de Lydia, Sophie, Marianne et Maude. Il avait l'air de s'ennuyer.

Moi : Pauvre Olivier. Seul parmi les nunuches !
Jeanne (un peu distraite) : Hum...
Moi (en me tournant vers elle) : Ça va ?
Jeanne : Bof ! Je trouve qu'Alex est bizarre, depuis la rentrée. Moi : Qu'est-ce que tu veux dire ?
Jeanne : Je ne sais pas trop... Cet été, ça allait, car on était dans notre bulle, mais on dirait que depuis que l'école a commencé, c'est un peu tendu entre nous.
Moi : Ah oui ? Pourtant, ça n'avait pas l'air tendu cette semaine à la cafétéria...

Je lui ai fait un petit sourire rempli de sous-entendus.

Jeanne : Ouais, je sais. On a encore de bons moments, mais on dirait que c'est souvent moi qui les provoque, et *j'haïs* ça. Ce n'est tellement pas mon genre de quémander de l'attention et de me poser des questions du genre : « Est-ce qu'il m'aime vraiment ? », « Pourquoi est-il distant avec moi ? » ou « Est-ce qu'il préférerait qu'on ne soit que des amis ? »

Moi : C'est normal de se poser des questions quand on est en amour, mais je pense que tu ne devrais pas t'en faire avec ça. Quand Alex me parle de toi, c'est toujours avec des étincelles dans les yeux !

Jeanne : Ah oui ? Il te parle de moi, des fois ?

Moi : Disons qu'il ne peut pas en parler trop souvent parce que je suis toujours collée à toi, mais ça lui arrive ! Et j'ai l'impression que tu t'en fais pour rien, car il a les mêmes peurs que toi.

Jeanne : Ça me rassure, même si je déteste me sentir aussi inquiète. Honnêtement, je trouvais ça pas mal plus simple d'être célibataire...

Moi : Ne dis pas ça ! Vous formez un super beau couple, Alex et toi ! Il faut juste que vous vous accordiez un peu de temps pour vous habituer à une nouvelle routine. Même si c'est un peu bizarre d'être un vrai couple à l'école, ça ne veut pas dire que ça va mal entre vous, ni que tu es une mauvaise blonde.

Jeanne (en me souriant) : Merci, Léa.

Alex est revenu et on a dû interrompre notre conversation. J'avoue qu'il n'a pas l'air *full* dans son assiette ces temps-ci, mais je ne savais pas que Jeanne s'en était rendu compte, ni qu'elle remettait son couple en question. Je l'appellerai cet après-midi pour en savoir plus et pour m'assurer qu'elle va bien.

Après avoir fait quelques blagues à Alex pour lui faire retrouver le sourire, nous sommes allés rejoindre Félix et ses amis près du sofa. À ma grande surprise, Olivier est venu s'asseoir avec nous. Mon regard a alors croisé celui de Maude, qui a plissé les yeux. Elle n'était visiblement pas contente qu'Olivier ait déserté sa gang pour se joindre à la mienne.

Au bout d'un moment, Félix m'a fait comprendre qu'il voulait partir.

Lui : C'est ta dernière chance si tu veux un *lift*. Je pourrais te déposer avant de me rendre à mon party. Sinon, il va falloir que tu appelles les parents pour qu'ils viennent te chercher.

Comme Alex et Jeanne étaient aussi sur le point de rentrer, j'ai décidé d'accepter l'offre de Félix. Quand je suis allée dire au revoir à Olivier, il nous a demandé si on pouvait le déposer au métro.

Moi (extrêmement contente qu'il parte en même temps que moi plutôt que de rester avec Maude) : Ben oui ! Ça va nous faire plaisir !
Maude (en accourant alors vers nous) : Olivier, tu pars déjà ? J'ai à peine eu le temps de te parler !

Olivier : Ouais, je suis un peu fatigué... Mais c'était cool comme soirée. Merci, Maude.

J'ai envoyé un sourire satisfait à Maude et j'ai tourné les talons pour suivre Félix.

Maude (en nous rattrapant) : Si tu veux, Oli, on pourrait se reprendre cette semaine et aller dîner ensemble ? Je connais un petit resto pas cher juste à côté de l'école !
Olivier : Ouais, OK. À lundi !

Je me suis retournée, et j'ai vu Maude qui me regardait en souriant. Léa 1. Maude 1. Grrr.

Nous avons déposé Alex, Jeanne et Olivier au métro, puis Félix m'a raccompagnée chez moi. J'étais tellement épuisée par la soirée que je me suis endormie tout habillée !

En me levant ce matin, je me sentais confiante. Même si Olivier avait accepté d'aller dîner avec Maude, il m'avait offert de m'aider en anglais, et il avait l'air plus attiré par moi que par elle, hier soir.

J'étais tout emballée par l'idée d'un potentiel amour avec lui jusqu'à ce que j'ouvre ma boîte de courriels et que je tombe sur un message de Thomas, m'annonçant qu'il sera à Montréal le vendredi 3 octobre. Mon cœur a fait un bond et mon pouls s'est accéléré. Il veut me voir, mais je ne sais pas si c'est une bonne idée. En même temps, je ne crois pas être capable de résister à la tentation... Lou, qu'est-ce que je devrais faire? Maintenant que tu vis une situation semblable avec JP, j'ai espoir qu'on puisse s'aider mutuellement.

Dans ton cas, je pense que tu aimes encore JP, et que c'est tout à fait normal. Si tu veux mon avis, je ne suis pas sûre que tu seras capable de l'oublier si tu te tiens tout le temps avec lui. Après tout, tu sais comme moi qu'on a souvent besoin de prendre un peu de distance pour se remettre d'une peine d'amour et pour passer à autre chose... Mais si ton rendez-vous de demain avec Christian se déroule bien, ça se peut aussi que le reste se fasse tout seul et que tu arrives à te détacher de JP tout en vivant quelque chose avec un autre gars... Ça reste à voir!

Je m'excuse pour mon long roman. J'avais trop de choses à te raconter! J'attends avec impatience tes impressions sur la venue de Thomas, et le récit de tes aventures chez Christian!
Léa xox

P.-S.: Crois-tu pouvoir venir me voir pendant la fin de semaine de l'Action de grâce? Sinon, je vais supplier mes parents pour qu'ils me permettent d'aller te visiter!

Dimanche 7 septembre

16 h 19

Léa (en ligne): Jeanne? T'es là?

16 h 20

Jeanne (en ligne): Oui! Désolée si je ne t'ai pas rappelée hier. J'étais chez mon oncle et on est rentrés tard. Et aujourd'hui, mes parents m'ont forcée à aller au Jardin botanique. Apparemment, ils voulaient passer une fin de semaine de qualité avec leur fille… Soupir.

16 h 20

Léa (en ligne): Je te comprends! Hier soir, mes parents nous ont forcés, Félix et moi, à jouer à Risk! Comme j'ai gagné, je ne me plains pas, mais mon frère était vraiment frustré de devoir annuler sa soirée avec Marie-Pier.

16 h 21

Jeanne (en ligne): Lol! Ils se sont donné le mot! Dans mon cas, ça m'aura au moins permis de prendre un peu de recul avec Alex…

16 h 21

Léa (en ligne): Ah oui? Est-ce que tu lui as reparlé? Lui as-tu demandé pourquoi il était bizarre comme ça depuis la rentrée?

16 h 22

Jeanne (en ligne): Ouais, on s'est parlé tantôt. C'est drôle, car lui m'a dit qu'il sentait que c'était moi qui étais bizarre! Décidément, les gars et les filles ne viennent pas de la même planète!

16 h 23

Léa (en ligne): Ha! Ça, c'est sûr! Mais en même temps, s'il a senti un malaise entre vous, c'est normal qu'il en soit venu à la même conclusion que toi...

16 h 23

Jeanne (en ligne): Ouais. Je lui ai dit que je t'avais dit que je le trouvais bizarre depuis la rentrée, et que tu m'avais dit qu'il t'avait dit qu'il avait peur lui aussi, et qu'au fond, on devrait juste se le dire.

Léa (en ligne): Oh! Et qu'est-ce qu'il t'a répondu?

16 h 24

Jeanne (en ligne): Qu'il ne comprenait rien à ce que je racontais! Lol!

16 h 24

Léa (en ligne): Ce n'est pas si compliqué, pourtant!

16 h 25

Jeanne (en ligne): Je sais! Mais après en avoir discuté longuement, on a fini par se comprendre!

16 h 25

Léa (en ligne): Cool! Et la conclusion?

16 h 25

Jeanne (en ligne): La mienne, c'est d'arrêter de me poser des questions, et la sienne, c'est de me parler directement des choses qui le tracassent. Au fond, c'est ce qu'on faisait quand nous n'étions que des amis, et c'était beaucoup plus simple comme ça!

Léa (en ligne): Je suis contente que ça aille mieux! ☺ As-tu eu des nouvelles de Katherine?

16 h 26

Jeanne (en ligne): Pas encore… Mais ça ne devrait pas tarder, puisque je crois que Mike est déjà parti. J'ai eu des nouvelles de Maude, par contre!

16 h 27

Léa (en ligne): Grrr. Qu'est-ce qu'elle veut, encore? Te convaincre que j'ai la lèpre?

16 h 27

Jeanne (en ligne): Non, mais tu chauffes! Elle voulait m'avertir que tu n'étais pas une amie loyale, car elle sentait que tu avais un *kick* sur Alex.

16 h 28

Léa (en ligne): QUOI? C'est sa dernière invention, s'arranger pour te monter contre moi en te mettant des idées dans la tête, alors qu'elle sait très bien que j'ai un *kick* sur Olivier?

Jeanne (en ligne): C'est exactement ce que je lui ai répondu! Ce sur quoi elle m'a dit: «Pense ce que tu veux, Jeanne. Je me suis simplement dit que tu devrais savoir que ta supposée amie tripe sur ton chum.»

16 h 29

Léa (en ligne): J'espère que tu sais que ce n'est absolument pas vrai?

16 h 29

Jeanne (en ligne): Évidemment! Je ne sais même pas pourquoi elle sort un truc pareil!

16 h 30

Léa (en ligne): Pour essayer de me faire mal, voyons! C'est son sport préféré!

16 h 31

Jeanne (en ligne): Ouais, mais elle a échoué sur toute la ligne! D'ailleurs, ça te dirait d'aller manger au resto demain midi avec Alex et moi? Un moment entre trois mousquetaires ne nous ferait pas de tort!

16 h 32

Léa (en ligne): Bonne idée! Et sois sans crainte: je ne *cruiserai* pas Alex devant toi! ;) Lol!

16 h 32

Jeanne (en ligne): ;) À demain! xx

📱 07-09 18 h 14
....

Léa ? Je capote ! Je suis tellement triste. Mike vient de partir.

📱 07-09 18 h 15
....

Pauvre toi ! J'allais justement t'appeler ! Ça s'est bien passé en fin de semaine, au moins ?

📱 07-09 18 h 16
....

Oui, mais il est vraiment excité par son entrée au collège, et il tripe vraiment sur sa vie en ce moment. Je pense que la situation est plus difficile pour moi, car mon quotidien est pas mal moins excitant que le sien quand il n'est pas là. ☹

📱 07-09 18 h 18
....

Alors, on n'a qu'à le rendre plus excitant ! Et ça commence dès demain ! Tu viens dîner avec Jeanne, Alex et moi au resto, et on te change les idées, OK ?

📱 07-09 18 h 19
....

Ouais, OK. Et je pourrai en profiter pour vous raconter ma fin de semaine dans les détails.

📱 07-09 18 h 20

Cool, et si ça peut t'encourager, ce sont les premières heures après la séparation qui sont les plus difficiles (je m'en souviens avec Thomas). Demain, quand tu reprendras ton train-train, tu verras que ça ira déjà mieux.

📱 07-09 18 h 20

OK, ça m'encourage! Je dois aller souper, mais je t'embrasse et on se voit demain! Tu me raconteras les potins du party que j'ai manqué chez Maude!

📱 07-09 18 h 21

Super! À demain! Xx

📱 07-09 18 h 22

Luv!

À : Léa_jaime@mail.com
De : Marilou33@mail.com
Date : Mardi 9 septembre, 12 h 07
Objet : De retour dans le local des *nerds* !

Coucou !
Je sais, j'ai mis du temps à te répondre, mais entre les devoirs, les parents, le petit frère et la natation, je n'ai pas eu deux minutes à moi !

Mais ce midi, j'ai décidé de manger mon sandwich dans le local d'informatique pour te faire un résumé rapide de ma journée de dimanche !

Quand je suis arrivée chez Christian, j'ai été accueillie par des cris stridents d'enfants. Le pauvre doit composer avec quatre frères et sœurs à côté desquels Zak a l'air d'un ange ! Et comme tu sais à quel point mon petit frère peut être gossant, ça te donne une bonne idée du taux d'hyperactivité qui règne dans la famille de Christian.

Il m'a présenté sa mère et son beau-père, qui sont tous les deux super jeunes et super gentils, et nous nous sommes enfermés dans sa chambre, qui est située au sous-sol.

Moi : T'es chanceux ! T'as tout un espace à toi !

Lui : Une chance ! Sinon, je pense que je sauterais ma coche souvent !

Moi : Ta mère a l'air vraiment jeune ! Elle pourrait presque passer pour ta sœur !

Lui : N'exagère pas, quand même ! Mais oui; elle m'a eu à dix-huit ans.

Moi : Wow. Et ton père, il habite près d'ici ?

Lui : Aucune idée. Je ne l'ai jamais connu. Ça fait douze ans que ma mère sort avec Jacques, mon beau-père, et c'est vraiment lui qui m'a élevé.

Il m'a raconté tout ça sans broncher, comme si c'était la chose la plus normale du monde d'avoir été abandonné par son père.

Moi : Oh ! Je suis désolée...

Lui : Il n'y a pas de quoi ! Il n'est pas mort, il n'a juste jamais existé ! Alors, on se met aux maths ?

J'ai sorti mon livre et mon manuel de l'année dernière, et pendant une heure, je lui ai laissé m'expliquer des théories et des formules que je comprenais déjà très bien.

À un moment donné, j'ai laissé mon esprit errer et j'ai essayé de m'imaginer dans sa vie, autour de la table lors des soupers de famille. Ce n'était pas une image qui me déplaisait.

Je me suis ensuite attardée à son physique. Il avait les cheveux en bataille et portait un vieux t-shirt de baseball et un jean troué. On ne peut pas dire qu'il avait fait un effort pour se mettre sur son trente-et-un ! Est-ce trop demandé que les gars s'habillent comme du monde ?

Lui : Marilou ? Tu m'écoutes ?
Moi : Hein ? Oui, pourquoi ?
Lui : Parce que ça fait quatre fois que je te pose la même question et qu'au lieu de me répondre, tu scrutes l'illustration sur mon t-shirt. Ça va ?
Moi : Oui, excuse-moi ! J'étais un peu dans la lune. Les maths ont brûlé mes cellules !
Lui : On peut prendre une pause, si tu veux.
Moi : OK !

Il est allé chercher des chips et du jus, et il m'a fait découvrir les groupes de musique qui lui plaisaient. Il aime plus le rock que moi, mais je trouvais ça cool de pouvoir discuter de mes goûts musicaux sans me faire rebattre les oreilles parce que je n'aime pas le rap et la musique de « *yo* ». Tu comprendras que je fais ici référence à JP. À vrai dire, j'ai beaucoup pensé à JP pendant que j'étais chez Christian. On dirait que je sentais l'obligation de comparer chaque détail de sa vie avec celle de mon ex pour me convaincre qu'il était mieux pour moi et que c'était beaucoup plus sain de sortir avec un gars sérieux comme Christian plutôt qu'avec un gars indépendant comme JP.

Après notre pause, qui a finalement duré deux heures, j'ai réalisé qu'il était déjà l'heure de rentrer chez moi. Somme toute, j'ai passé un super bon moment avec lui et je le trouve vraiment intéressant. Le problème, c'est que j'aimerais que mon intérêt pour lui soit plus naturel, au lieu d'avoir à me convaincre qu'il faut que je l'aime. Et j'aimerais aussi que JP me sorte complètement de la tête.

Mais j'ai quand même ressenti un peu de nervosité ce matin en saluant Christian dans la classe, et j'avoue que j'espérais un peu le croiser dans le local des *nerds*, ce midi (ce qui n'est pas arrivé).

Comme je n'arrête pas de regarder autour de moi dans l'espoir de le voir, je pense que l'un des *nerds* de secondaire 2 est en train de s'imaginer que je le *cruise*, puisqu'il m'envoie des sourires depuis tantôt ! Je vais filer avant qu'il ne m'invite à un tournoi de *Génies en herbe* !

On se parle plus tard,
Lou xox

P.-S. : Pour Thomas, tu sais ce que j'en pense... Tu crois que c'est mieux que je prenne mes distances avec JP pour essayer de l'oublier, et moi, je crois que tu devrais éviter de revoir Thomas, si tu ne veux pas replonger dans une vieille histoire qui t'a déjà attiré assez d'ennuis. Malgré ça, je comprends la tentation, et je te jure que je ne te jugerai pas si tu te décides à le revoir. Je sais à quel point c'est difficile de résister...

P.P.-S. : J'ai un entraînement de natation que je ne peux pas rater le dimanche de la fin de semaine de l'Action de grâce. Convaincs tes parents de venir, s'il te plaît ! Je m'ennuie trop !

À : Thomasrapa@mail.com
De : Léa_jaime@mail.com
Date : Mercredi 10 septembre, 18 h 22
Objet : Re : Thomas dans la métropole

Salut !
Désolée d'avoir été lente à te répondre, mais j'ai été super occupée depuis la rentrée. Évidemment, ça va me faire plaisir de te voir (même si c'est vrai que c'est bizarre de t'imaginer à Montréal) !

Même si je ne suis pas la meilleure des guides touristiques (on se rappelle mon légendaire sens de l'orientation) et que je ne connais pas encore Montréal comme le fond de ma poche, je serais contente de te faire découvrir quelques-uns de mes endroits préférés !

En attendant, j'espère que tout va bien de ton côté, et que les maths de secondaire 5 ne te font pas trop peur !

À bientôt !
Léa

📱 10-09 18 h 34

Lou? C'est fait! J'ai écrit à Thomas pour lui dire que ça allait me faire plaisir de le revoir, et j'ai fait un effort pour avoir l'air détachée. Je sais que ce n'est pas la décision la plus sage, mais la tentation était trop forte!

📱 10-09 18 h 36

Qui suis-je pour te juger? Je suis chez JP en ce moment...

📱 10-09 18 h 36

Hum? Comment ça?

📱 10-09 18 h 37

Tu vas rire! Il m'a demandé de l'aider dans un devoir de français...

📱 10-09 18 h 38

NON! JP utilise notre technique pour se rapprocher de toi? Aww! C'est PRESQUE cute!

📱 10-09 18 h 39

Je sais ! En plus, il me l'a demandé ce midi pendant que je dînais avec Christian ! Je pense qu'il était jaloux !

📱 10-09 18 h 40

Tu as dîné avec Christian ? Je veux des détails !

📱 10-09 18 h 40

Je me suis imposée à sa table ! Lol ! Pas pire, hein ?

📱 10-09 18 h 41

Tu m'impressionnes ! Moi, c'est à peine si j'ai dit deux mots à Olivier depuis lundi ! Et Maude est allée dîner avec lui ce midi. Grrr.

📱 10-09 18 h 42

Impose-toi ! Lâche les deux autres mousquetaires et fonce !

📱 10-09 18 h 43

Oui, t'as peut-être raison. J'avoue que j'ai passé beaucoup de temps avec Jeanne et Alex au cours des derniers jours. L'affaire, c'est que Maude a essayé de faire croire à Jeanne que j'étais secrètement amoureuse d'Alex, alors j'ai redoublé d'effort cette semaine pour lui prouver que ce n'était pas vrai.

⌨ 10-09 18 h 44
....

Comment ça? Jeanne doutait de toi?

⌨ 10-09 18 h 44
....

Je ne pense pas, non. Mais je voulais m'assurer qu'elle savait qu'Alex n'était qu'un ami.

⌨ 10-09 18 h 45
....

Si ce n'est qu'un ami, lâche-le! Et attaque-toi plutôt à Olivier!

⌨ 10-09 18 h 46
....

OK! Et toi, lâche JP et concentre-toi sur Christian!

⌨ 10-09 18 h 47
....

OK! La chasse est ouverte!

📱 10-09 18 h 48

J'aime ça comme expression ! Lol !

📱 10-09 18 h 48

Bon, je te laisse. JP me fait de gros yeux et me demande de l'aide.

📱 10-09 18 h 49

Tu vas l'aider avec le *french*, ou avec le français ? ;)

📱 10-09 18 h 49

Niaiseuse ! ;)

📱 10-09 18 h 49

Hi ! Hi ! Je me trouve très drôle ! Tiens-moi au courant des développements et salue JP de ma part ! xx

📱 10-09 18 h 49

xox

À : Marilou33@mail.com
De : Léa_jaime@mail.com
Date : Vendredi 12 septembre, 21 h 23
Objet : Tu seras très fière de moi !

Coucou !
Comment vas-tu ? Qu'est-ce que tu fais ce soir ? Moi, je suis allée faire un tour chez Katherine, qui avait besoin de se faire remonter le moral. Mike ne l'a appelée qu'une fois depuis dimanche et il n'a pas répondu à ses deux derniers courriels. Elle a l'impression qu'il lui glisse entre les doigts et qu'il passe son temps à faire le party sans penser à elle.

Évidemment, j'ai essayé de la rassurer en lui disant que c'était normal qu'il soit occupé, puisqu'il vient de commencer le collège, mais entre toi et moi, j'ai du mal à croire que cette histoire va durer. Mon expérience avec la distance s'est révélée plutôt désastreuse, et comme ils ne peuvent se voir qu'une ou deux fois par année, je ne sais pas trop où ça va les mener, d'entretenir cette relation. Mais comme Katherine est *full* amoureuse, elle s'imagine déjà vivre aux États-Unis avec lui après son secondaire ! Tout ça pour dire que j'ai essayé de lui changer les idées en lui parlant de mon beau Olivier, et je crois que ça a fonctionné, car elle était de meilleure humeur quand je suis partie !

Il faut d'ailleurs que je te raconte les derniers développements! Comme tu sais, Maude avait réussi à convaincre Olivier d'aller dîner avec elle mercredi, et j'avoue que quand je les ai vus revenir à l'école en riant, j'ai cru que j'avais perdu la bataille.

Comme tu m'as incitée à foncer, j'ai pris mon courage à deux mains et je suis partie à la chasse! Lol! Hier midi, lors de notre première réunion officielle pour le journal étudiant, j'ai proposé à Éric de donner sa chance à Olivier pour écrire un article sur le hockey.

Éloi : C'est une bonne idée, ça! Ça va nous attirer du monde, d'avoir une chronique sportive!
Éric : Ouais, mais je ne connais pas Olivier, et je ne sais pas s'il est capable d'écrire!
Moi : Donne-lui une chance! Après tout, c'est ce que tu as fait avec moi l'année dernière!
Éric : Je l'ai fait parce qu'Éloi insistait et parce qu'il s'est porté garant de toi.
Moi : C'est vrai qu'Éloi est galant.

Les deux m'ont regardée comme si j'étais la pire des cruches.

Éloi : Pas galant, Léa. Garant. En gros, j'ai dit que j'étais prêt à te superviser. Mais comme tu es bourrée de talent, je n'ai pas eu grand-chose à faire.

Moi (en rougissant) : Ben là ! T'es ben fin ! Mais si c'est ce que ça prend, je pourrais aussi me porter galant d'Olivier.

Éloi et Éric : GARANT !

Moi : Même affaire !

Éric : OK, mais n'oublie pas que tu as toi aussi un article à nous remettre pour la semaine prochaine ! D'ailleurs, as-tu trouvé ton thème ?

Moi : Oui ! La rivalité !

Éloi : Ça promet...

Moi (en fronçant les sourcils) : Comment ça ? Tu n'aimes pas ça ?

Éloi : Oui, j'aime ça. Mais j'en connais une qui va se sentir visée.

Moi (en haussant les épaules) : Je ne sais pas de qui tu parles.

Éloi m'a alors entraînée un peu plus loin.

Éloi : Je sais que tu fais allusion à Maude, Léa. Et je le vois bien que vous vous battez pour avoir l'attention d'Olivier.

Moi : Ça paraît tant que ça ?

Éloi : Je pense que même le concierge l'a remarqué !

Moi (en le poussant) : Niaiseux !

Éloi : Sans blague, c'est correct si tu veux m'en parler. On est des amis, non ?

Moi : Ouais, t'as raison. Mais comme j'ai l'impression de ne pas t'avoir vu depuis la rentrée, je me suis dit que tu n'étais peut-être pas tout à fait prêt à être ami avec moi...

Éloi : Je me suis dit la même chose !

Moi : Bon, me voilà rassurée, alors !

Éloi : Et si je peux être honnête, ce n'est pas à cause de toi si je n'ai pas été *full* présent depuis le début de l'année...

Moi : Ah non ? C'est à cause de qui ?

Éloi : Ma nouvelle blonde.

Moi : QUOI ? T'AS UNE NOUVELLE BLONDE ?

Tous les autres se sont tournés vers nous.

Éloi : Merci, Léa. J'allais justement te demander d'être discrète.

Moi : Oups. Désolée. Tu m'as prise par surprise ! C'est qui ?

Éloi : Une fille d'une autre école que j'ai rencontrée à Tremblant, cet été.

Moi (en m'efforçant de sourire) : Oh, je vois. Je suis contente pour toi.

Éloi : T'es sûre ? Parce que tu n'as pas l'air *full* contente...

Moi (en souriant) : Promis.

Et c'est la vérité. Même si ça m'a fait un choc sur le coup, je suis contente qu'Éloi soit passé à autre chose et qu'il soit heureux avec une autre fille. C'est peut-être ça que ça nous prenait pour redevenir de véritables amis.

Après le dîner, je me suis empressée de croiser Olivier «par accident» avant le début des cours pour lui proposer d'écrire un article pour la semaine prochaine, et il a accepté ! Mais comme c'est la première fois qu'il écrit pour un journal, je lui ai offert de l'aider demain après-midi, en échange de quelques leçons d'anglais ! Ingénieux, hein ? C'est mon père qui serait fier de moi ! Maintenant, je flirte en étant *nerd* ! Lol ! J'ai rendez-vous chez lui à 13 h, et je suis vraiment nerveuse ! Je pensais mettre mon skinny jean noir et mon top à pois noirs. Qu'est-ce que t'en penses ?

Donne-moi des potins sur ton triangle amoureux ! JP ou Christian ? Là est la question !
Léa xox

Samedi 13 septembre

11 h 11

Félix (en ligne): Coudonc, as-tu pris un bain de parfum? Ça sent dans toute la maison!

11 h 12

Léa (en ligne): Tellement pas! J'en ai juste mis un peu. Le problème, c'est que, comme tu pues, ça détonne beaucoup.

11 h 13

Félix (en ligne): C'est toi qui pues et qui essaies de camoufler ça avec du parfum! Mais dis-moi, c'est pour qui, cette odeur-là?

11 h 13

Léa (en ligne): Pfff. Pour personne! J'ai un rendez-vous pour des devoirs à 13 h. D'ailleurs, ça ne te tenterait pas de me donner un *lift*?

11 h 14

Félix (en ligne): Non. Je pue trop.

Léa (en ligne): Tu m'énerves. Je vais demander à papa, alors.

Félix (en ligne): Fais comme tu veux. En passant, je vais inviter quelques amis vendredi soir pour célébrer ma fête, alors ne te gêne pas si tu veux t'organiser un autre rendez-vous d'études ailleurs qu'ici.

Léa (en ligne): Ben là! Je ne vais pas étudier un vendredi soir, quand même! Et tu n'as pas le droit de m'expulser de ma propre maison! Est-ce que les parents savent que tu fais un party?

Félix (en ligne): Ils ont un souper vendredi, et ils savent que j'en profite pour inviter du monde. Comme c'est ma fête, ils m'ont donné la permission.

Léa (en ligne): Et tu ne m'invites pas?

11 h 18

Félix (en ligne): C'est un party pour mes dix-huit ans, Léa. Nous ne sommes plus dans la même ligue, maintenant.

11 h 20

Léa (en ligne): Ben, là! Je veux être invitée! Je te promets de ne pas te faire honte et d'être *full* mature.

11 h 20

Félix (en ligne): Ça promet...

11 h 21

Léa (en ligne): Dis oui!

11 h 22

Félix (en ligne): OK, mais il faut que tu me promettes de rester calme, même s'il y a des gars que tu trouves beaux.

11 h 23

Léa (en ligne): Promis! Est-ce que je peux inviter une amie?

Félix (en ligne): Pas question! Je veux *cruiser* des filles sans me sentir observé par une horde de groupies.

11 h 24

Léa (en ligne): Premièrement, penses-tu vraiment que mes amies sont tes groupies? Deuxièmement, comment ça tu veux *cruiser* des filles? Qu'est-ce qui est arrivé à Marie-Pier?

11 h 25

Félix (en ligne): Elle est un peu possessive, et j'ai réalisé que je ne voulais rien de sérieux pour le moment.

11 h 26

Léa (en ligne): Soupir. Tu ne changeras jamais. Bon, je te laisse. Il faut que je finisse de me préparer pour mon rendez-vous.

11 h 26

Félix (en ligne): OK, mais je te supplie de lâcher la bouteille de parfum. On étouffe.

Léa s'est déconnectée

À : Léa_jaime@mail.com
De : Marilou33@mail.com
Date : Dimanche 14 septembre, 13 h 07
Objet : J'ai chassé un gibier...

Salut !
Alors, c'était comment chez Olivier ? Est-ce que tu lui as appris à embrasser en plus d'écrire ? ;)

De mon côté, les choses ont pris une tournure un peu inattendue au cours des derniers jours. Comme tu le sais, j'ai passé la semaine à courir après Christian et à me faire poursuivre par JP, mais la situation s'est un peu envenimée vendredi soir. Après l'école, je suis allée faire un tour chez Seb avec Steph. Thomas et JP sont venus nous rejoindre après le souper, et ton ex a passé près d'une heure à me casser les oreilles avec ses histoires de voiture. Comme il sait que je ne lui dévoilerai aucune information à propos de toi et que je ne veux rien entendre sur Sarah, il se contente de parler de son garage et de son oncle.

Thomas : C'est tellement cool de travailler pour mon oncle ! D'ailleurs, savais-tu que je l'accompagne à Montréal dans trois semaines ?
Moi : Oui. Léa me l'a dit.
Thomas : Ça va être bizarre de la revoir...

Il a dit ça en me regardant intensément. Je pense qu'il espérait que je lui fournisse plus d'informations, mais sa tentative est tombée à plat. Heureusement pour moi, JP est venu me sauver.

JP : Thomas, tu sais bien que Marilou ne te dira rien à propos de Léa. Si tu veux des informations, il faut passer par moi.
Moi : Pfff. Penses-tu vraiment que tu as le pouvoir de me soutirer de l'information ?
JP : Oui, parce que j'ai une arme secrète.

Il s'est approché de moi et s'est mis à me chatouiller. Je riais tellement que je n'avais plus de souffle ! Je me débattais pour qu'il arrête, mais il me tenait fermement par les poignets et m'empêchait de bouger. Thomas a décidé de nous laisser seuls, et JP en a profité pour approcher sa bouche de la mienne.

Moi (en me détournant) : JP, qu'est-ce que tu fais ?
JP : Je profite de la situation.
Moi : Au moins, tu es honnête. Mais pourquoi tu fais ça ? Tu m'as dit il n'y a pas même pas un mois que tu ne voulais pas qu'on reprenne.
JP (en me tenant toujours pas les poignets et en me regardant dans les yeux) : J'ai changé d'idée. Je t'aime, Marilou, et je ne suis pas capable de t'oublier.

Je l'ai repoussé et je me suis libérée de son étreinte sans qu'il résiste.

Moi : Est-ce c'est une blague ?
JP : Non. Tu sais que c'est sérieux. Je pense que tu t'en es rendu compte, Lou. J'étais collé à tes semelles toute la semaine !
Moi : Ouais... Mais on s'est laissés pour de bonnes raisons, et je n'ai pas envie de redevenir ta blonde soumise qui veut de l'attention. Je veux un gars mature qui a envie de passer du temps avec moi au lieu de faire éclater des pétards avec ses amis débiles.
JP : J'ai changé.
Moi (en faisant une face, genre, « raconte ça aux pompiers et ils vont t'arroser ») : ...
JP : Je te jure que c'est vrai ! Et si ce n'est pas assez, je vais changer plus. Je veux te prouver que je ne suis pas un homme des cavernes, Marilou.

J'ai éclaté de rire. J'aimais l'analogie. Il en a profité pour me prendre la main et pour m'attirer vers lui. Il a approché ses lèvres des miennes, mais je me suis détournée à la dernière minute.

Moi (en m'éloignant) : Ça ne peut pas être si facile que ça, JP ! Je ne vais pas revenir dans ta vie dès que tu cliques des doigts ! Je suis... Je suis passée à autre chose, moi.
JP : Qu'est-ce que tu veux dire par là ?

Moi : Je veux dire que j'essaie de me concentrer sur autre chose...

JP (en fronçant les sourcils) : Sur autre chose, ou sur quelqu'un d'autre ?

Moi : Un peu des deux.

Steph a choisi ce moment-là pour nous interrompre et nous offrir de jouer à la Wii, mais JP a refusé en prétextant un mal de tête. Il est parti en coup de vent avant même qu'on puisse terminer notre discussion.

Sur le coup, je me sentais fière de moi. J'avais réussi à lui résister et j'avais prouvé que je ne céderais pas dès que MONSIEUR levait le petit doigt.

Mais plus les minutes passaient et plus je sentais un trou dans mon ventre. Une petite partie de moi m'en voulait de ne pas avoir écouté mon cœur.

Mais j'ai redoublé d'efforts pour me changer les idées et pour éviter d'analyser mes sentiments. Comme j'avais un rendez-vous chez Christian hier après-midi, je me suis dit qu'il valait mieux ne pas trop penser à JP avant de le voir. Je suis donc rentrée chez moi et je me suis endormie devant un film.

En me réveillant hier matin, je me suis préparée comme une automate et j'ai marché jusque chez Christian. Après avoir salué ses frères et sœurs, on s'est encore une fois installés dans sa chambre pour réviser mes mathématiques, et tandis qu'il m'expliquait des exercices que je faisais semblant de ne pas comprendre, j'essayais de m'imaginer ce que ce serait de l'embrasser.

Christian a fini par remarquer que je l'observais, et il m'a jeté un regard curieux.

Lui : Pourquoi tu me regardes comme ça ? Est-ce que j'ai quelque chose de coincé entre les dents ?
Moi (en riant) : Non, pas du tout. Je m'excuse. Je suis un peu distraite aujourd'hui...
Lui : Ah oui ? Comment ça ?
Moi : Bof, c'est compliqué...
Lui : Tu peux me faire confiance, Marilou. Qu'est-ce qui se passe ?
Moi (du tac au tac) : Est-ce que tu voudrais m'embrasser ?

J'ai dit ça sans réfléchir. Il m'a regardée d'un air surpris.

Lui : Euh ! Je...

Mais je ne lui ai pas laissé le temps de répondre. J'ai poussé l'audace au maximum et j'ai posé mes lèvres sur les siennes. À mon grand soulagement, il n'a pas résisté et il a répondu à mon baiser. J'ai fermé les yeux et j'ai attendu le feu d'artifice, mais il n'est jamais venu. J'espérais qu'en l'embrassant, je ressentirai la même intensité qu'avec JP, mais ce n'était pas le cas. Je me suis donc détachée doucement de lui.

Moi : Je m'excuse, Christian. Je n'aurais pas dû faire ça. On dirait que je ne savais pas si nous étions amis ou plus... et je voulais avoir ma réponse. Je suis désolée...
Lui : Tu n'as pas à t'excuser, Marilou. J'avoue que j'étais un peu confus, moi aussi. Je me demandais si tu te tenais avec moi simplement pour rendre ton ex jaloux...
Moi : Non ! Je te jure que non. Je tiens vraiment à toi, Christian. Et j'ai découvert que tu étais beaucoup plus qu'un simple *nerd*.
Lui : Heille !
Moi (en riant) : Tu sais ce que je veux dire ! Je ne passe pas du temps avec toi pour faire mal à JP. Au contraire... Je voulais l'oublier, je pense.
Lui : Et ça a marché ?
Moi (d'une petite voix) : Non.

Christian a soupiré et j'ai baissé la tête. Je m'en voulais de l'avoir embrassé, car je ne voulais vraiment pas qu'il s'imagine que je jouais avec ses sentiments.

Moi : Je suis vraiment désolée. Je ne voulais pas te faire de la peine.

Lui (en souriant) : Je ne suis pas triste, Marilou. Ça répond aussi à mes questions...

Moi : Qu'est-ce que tu veux dire ?

Lui : Disons que je t'avais aussi mal jugée, et qu'à force de passer du temps avec toi, je me demandais si je t'aimais comme amie ou s'il y avait plus.

Moi : Et ?

Lui : Et j'en arrive à la même conclusion que toi.

Moi : Bon. Et on fait quoi, maintenant ? Je ne veux pas que ce soit bizarre entre nous !

Lui : Si on en rit, on ne trouvera pas ça bizarre ! Alors je vote pour qu'on reste amis ! Et en tant que nouvel ami officiel, je vais te demander une faveur !

Moi (en haussant un sourcil) : Laquelle ?

Lui : Que tu me présentes ton amie Laurie.

Moi (d'une voix aiguë) : Laurie ? Tu as un *kick* sur Laurie ?

Lui : Je n'ai pas un *kick* sur elle, mais j'avoue que je la trouve *cute*.

Moi : Même différence ! En tout cas, on ne peut pas dire que ça t'a pris beaucoup de temps pour m'oublier !

Lui (en riant) : Relaxe ! Je la trouvais déjà de mon goût avant que tu essaies de me charmer avec tes baisers !

Moi (en riant aussi) : Avec MON baiser ! Et il n'y en aura pas d'autres ! Pour Laurie, je vais voir ce que je peux faire !

On a passé le reste de l'après-midi à discuter, et j'ai fini par lui avouer que même si je ne raffolais pas des maths, je comprenais déjà bien la matière qu'il s'acharnait à m'expliquer depuis une semaine !

Quand je suis partie de chez lui, je n'avais qu'une idée en tête : parler à JP. Je ne savais pas trop quoi lui dire, mais je savais que j'avais envie de le voir.

Je me suis pointée chez lui sans m'annoncer et c'est sa mère qui m'a ouvert la porte. Elle m'a dit que JP était en train de jouer de la musique dans le sous-sol, et m'a invitée à aller le rejoindre.

Je suis restée environ deux minutes dans l'escalier avant qu'il s'aperçoive que j'étais là. Quand il m'a vue, il a eu l'air surpris. Il a enlevé ses écouteurs, il a déposé sa guitare et s'est assis sur un tabouret devant moi.

Lui : Salut.
Moi : Salut.
Lui : Je ne m'attendais pas à te voir ici.
Moi : Je n'avais pas vraiment prévu de venir, non plus.
Lui : Et quel bon vent t'amène ?
Moi : Est-ce que t'es sérieux quand tu dis que tu es prêt à tout pour que ça fonctionne entre nous ?
Lui : Très sérieux. Mais je ne vois pas à quoi ça sert de te convaincre puisque t'es déjà passée à autre chose.
Moi (en m'approchant de lui) : Ce n'est pas exactement vrai.
Lui : Hein ? Qu'est-ce que tu veux dire ?

Moi : Je veux dire que t'es difficile à oublier.

JP m'a attirée vers lui et m'a embrassée avant que je n'aie le temps d'en dire plus. On s'est collés pendant près de deux heures en se regardant dans les yeux, et ça m'a tout pris pour rentrer chez moi avant que mes parents n'appellent la police.

Ce matin, je me suis levée avec un gros sourire étampé sur le visage, et JP m'a texté il y a une heure pour qu'on aille se balader ensemble. Je sais que c'est surprenant, mais la bonne nouvelle, c'est que la chasse a été fructueuse et que je suis heureuse ! ☺

Je dois te laisser, car je dois le rejoindre dans quinze minutes, mais j'attends de tes nouvelles ! J'espère que ta fin de semaine a été aussi amoureusement productive que la mienne ! ☺
Lou xox

À : Marilou33@mail.com
De : Léa_jaime@mail.com
Date : Dimanche 14 septembre, 17 h 07
Objet : Et moi, je me suis fait tendre un piège !

WOW !
Je lis ton courriel et j'en ai des frissons ! La scène avec JP est tellement *cute* que je pense sérieusement qu'elle

pourrait être adaptée en film ! L'important, c'est que tu écoutes ton cœur, Lou. Si c'est JP que tu aimes et que tu as envie de lui faire confiance, alors je suis cent pour cent avec toi. Et même si j'ai pu avoir mes doutes, il semble sincère et sérieux quand il dit qu'il veut faire des efforts pour que ça fonctionne ! Et c'est cool aussi que tu sois allée au fond des choses avec Christian et que vous puissiez être amis ! Penses-tu que ça va marcher avec Laurie ? Aux dernières nouvelles, elle avait fait un embargo sur les gars, non ? Est-ce qu'elle s'est assouplie ? Tu m'en donneras des nouvelles !

De mon côté, je ne peux pas dire que la fin de semaine ait été aussi fructueuse que la tienne, même si j'ai réussi à marquer des points importants !

Imagine-toi donc que quand je me suis pointée chez Olivier, hier après-midi, Maude était déjà là ! Tu peux t'imaginer ma face quand je l'ai vue installée à la table de la cuisine ! Je crois qu'Olivier ne soupçonnait pas qu'on soit rivales à ce point, et qu'il ne savait plus trop où se mettre.

Moi (en l'apercevant) : Maude ? Qu'est-ce que tu fais là ?
Maude (en souriant d'un air démoniaque) : Un petit oiseau m'a dit que tu venais chez Olivier pour avoir de l'aide en anglais, et je l'ai appelé pour savoir si

je pouvais me joindre à vous, étant donné que j'en arrache, moi aussi.

Moi (en serrant les poings) : Et depuis quand en arraches-tu en anglais ? Aux dernières nouvelles, tu étais bilingue !

Elle : J'ai de la facilité à m'exprimer parce que j'ai grandi en ville plutôt que dans un trou comme toi, mais je ne suis pas super forte en grammaire, alors j'ai demandé à Olivier de m'aider.

Moi : OK, mais après, il va falloir que tu partes, parce que je dois l'aider à écrire un texte pour le journal, et que c'est top secret.

Maude : Aucun souci ! De toute façon, on a déjà convenu qu'il viendrait me rejoindre chez moi plus tard. Je l'ai invité à souper à la maison pour le remercier !

Moi (l'air bredouille) : Je... Je... Je m'en fous qu'il aille souper chez toi, parce que moi, je comptais l'inviter à... un party super exclusif où tu n'auras pas le droit de mettre les pieds.

Maude : Je m'en fous de tes partys.

Moi : Et moi, je me fiche de tes soupers de famille !

Maude et moi nous sommes défiées du regard pendant quelques instants, sous les yeux abasourdis et amusés d'Olivier, qui commençait à comprendre que nous n'étions pas là pour nous améliorer en anglais.

Je me suis assise en face de lui et nous avons travaillé tous les trois sur un texte pendant près d'une heure sans nous entretuer. Quand nous avons eu terminé notre devoir, j'ai posé ma main sur celle d'Olivier pour lui témoigner ma reconnaissance.

Moi : Merci, Olivier. Mon devoir n'aurait jamais été aussi bon sans ton aide.
Maude : Le mien non plus. Tu es vraiment un ange de nous aider comme ça.

Un ange ? Vraiment ?

Moi : Bon, il va falloir qu'on se penche sur le texte du journal, maintenant. Maude, un dernier jus de raisin avant de partir ?

Elle m'a jeté un regard assassin et a rangé ses affaires. Elle s'est ensuite avancée vers Olivier et lui a collé deux baisers en bordure de la bouche.

Maude (d'une petite voix) : À plus tard, Oli.

Puis elle est partie sans rien ajouter. Olivier m'a regardée en écarquillant les yeux, puis il a toussoté pour essayer de masquer son malaise. J'ai poussé un long soupir et je l'ai regardé d'un air piteux.

Moi : Tu dois me prendre pour une folle, hein ?
Lui : Euh !, non. Je pense simplement que tu ne portes pas Maude dans ton cœur.

Moi : Ouais, et je pense que le sentiment est réciproque.

Lui (en haussant les épaules) : Vous n'êtes pas obligées d'être amies.

Moi : Ça, je le sais déjà! En fait, le mieux serait d'ignorer son existence, mais comme nous avons des amis en commun, ce n'est pas toujours évident...

Lui : Je ne savais pas que c'était la guerre entre vous. Avoir su, je n'aurais pas accepté qu'elle se joigne à nous aujourd'hui. Je suis désolé.

Moi (en lui envoyant mon plus beau sourire) : Je te pardonne, mais à condition qu'à l'avenir, ce soit juste toi et moi.

Lui (en me renvoyant le sourire le plus charmant au monde) : Promis.

Je l'ai ensuite aidé à corriger son article sur le hockey, et j'ai réalisé en travaillant près de lui qu'il sentait aussi bon qu'Alex. Je m'apprêtais à partir quand il m'a dit quelque chose qui m'a rendue extrêmement heureuse.

Lui : Alors, c'est quand, ce party?

Moi (ayant complètement oublié que je l'avais invité à une fête-méga-exclusive-qui-n'existe-pas pour faire pomper Maude) : Hein? Quel party?

Lui : Tantôt, tu as dit que tu voulais m'inviter dans un party...

Moi : Ah, oui! Ce party-là!

Je me suis alors souvenue que mon frère organisait une fête chez moi vendredi soir pour son anniversaire. Il m'a expressément interdit d'inviter mes amies, mais il n'a rien dit à propos d'un gars...

Moi : C'est vendredi soir, pour l'anniversaire de mon frère Félix, que tu as rencontré chez Maude. Il va avoir dix-huit ans. Ce serait le *fun* que tu viennes.
Lui : OK !

Je l'ai embrassé sur les joues et je suis rentrée chez moi, pleine d'espoir. Ma conclusion de la fin de semaine : je n'ai pas encore attrapé ma proie, mais ça ne saurait tarder ! Lol !

Écris-moi dès que tu peux !
Léa xox

Chapitre 3 :
Attention : torpille !

Mardi 16 septembre

20 h 11

Léa (en ligne): Alex? As-tu fini le devoir de maths?

20 h 12

Alex (en ligne): Oui. Je viens juste!

20 h 12

Léa (en ligne): Si je te dis que t'es beau, que t'es fin et que t'es extraordinaire, est-ce que tu vas vouloir me le prêter demain avant le cours pour que je copie deux exercices que je n'ai pas compris?

20 h 13

Alex (en ligne): Est-ce que je suis plus beau qu'Olivier?

20 h 14

Léa (en ligne): Si tu me prêtes ton devoir: oui. Sinon, non!

Alex (en ligne): Tu ne me laisses pas grand choix, alors! Pas de problème pour le devoir. Je t'expliquerai ce que tu ne comprends pas, si tu veux.

20 h 15

Léa (en ligne): Comment tu fais pour être aussi bollé en maths?

20 h 15

Alex (en ligne): Et toi? Comment tu fais pour être aussi douée en français?

20 h 16

Léa (en ligne): C'est grâce à ma mère. Elle me faisait faire des dictées quand j'étais petite!

20 h 17

Alex (en ligne): Et moi, c'est grâce à mon père! Il est comptable!

20 h 17

Léa (en ligne): Oh, je comprends, maintenant!

Alex (en ligne): Hé, ça te tente d'aller dîner au café, demain?

Léa (en ligne): Oui, mais je ne peux pas. ☹ Je dois terminer mon article pour le journal et j'ai promis à Éloi qu'on réviserait ensemble, comme dans le bon vieux temps!

Alex (en ligne): Bon, dommage! J'avais vraiment envie d'y aller.

Léa (en ligne): Pourquoi tu n'y vas pas avec Jeanne? Elle adore cet endroit!

Alex (en ligne): Je sais, mais j'avais envie de voir mes amis.

Léa (en ligne): Alex, qu'est-ce qui se passe?

Alex (en ligne): Rien ! Pourquoi tu me demandes ça ?

20 h 23

Léa (en ligne): Parce que tu n'as pas l'air de filer, depuis la rentrée, et que même Jeanne commence à se poser des questions... Est-ce que c'est à cause de votre relation ?

20 h 25

Alex (en ligne): Oui et non. J'avoue que je manque un peu de motivation depuis le début de l'année, parce que je trouve que les vacances ont passé trop vite ! Et pour Jeanne, c'est compliqué... Mais c'est ton amie et je ne veux pas te mettre dans une situation bizarre.

20 h 26

Léa (en ligne): Et je te remercie pour ça. Mais tu es mon ami, toi aussi, et je veux être là pour toi quand tu en as besoin ! Bref, raconte !

Alex (en ligne): C'est dur à expliquer... Parfois, je suis super content de la voir et je me sens *full* amoureux d'elle, mais d'autres fois, je sens que j'ai besoin d'air. Comme on est dans la même classe, ça nous force à passer beaucoup de temps ensemble, et ça me fait un peu capoter, des fois.

20 h 29

Léa (en ligne): C'est un peu normal, je pense. Est-ce que tu lui en as parlé?

20 h 30

Alex (en ligne): Oui, un peu. Et j'ai l'impression qu'elle se sent comme moi!

20 h 31

Léa (en ligne): Du moment que vous êtes honnêtes, tout devrait bien aller!

20 h 31

Alex (en ligne): Merci, petit rongeur! Et toi, avec Olivier?

20 h 32

Léa (en ligne): Ça avance... Je l'ai invité à une soirée vendredi, et j'ai bon espoir de lui mettre le grappin dessus avant Maude! Lol!

20 h 33

Alex (en ligne): C'est bien, mais sois quand même prudente, petit rongeur. On ne le connaît pas, ce gars-là!

20 h 34

Léa (en ligne): T'es *cute* de vouloir me protéger!

20 h 34

Alex (en ligne): C'est plus fort que moi...

Éloi vient de se joindre à la conversation

20 h 35

Alex (en ligne): Qu'est-ce que tu viens faire ici, espèce d'intrus?

20 h 36

Éloi (en ligne): À l'aide! J'ai besoin d'aide en maths!

Léa (en ligne): Je ne peux pas t'aider; je ne comprends rien, moi non plus! Mais si tu veux, tu peux m'accompagner demain et copier le devoir d'Alex! ☺

20 h 37

Éloi (en ligne): Ça m'intéresse!

20 h 38

Alex (en ligne): OK, mais vous m'en devez une!

20 h 40

Léa (en ligne): Bon, je vous laisse, les gars. Je vais aller humilier Félix à la Wii! À demain!

20 h 42

Alex (en ligne): Et moi, je dois finir un roman pour le cours de français.

20 h 43

Éloi (en ligne): Bonne chance, *bro*. Faut que je file, ma blonde vient de m'appeler. On se voit demain!

20 h 44

Alex (en ligne): OK. À plus!

À : Jeanneditoui@mail.com
De : Léa_jaime@mail.com
Date : Jeudi 18 septembre, 20 h 22
Objet : Pendant que tu n'étais pas là...

Coucou !
Comme tu étais grippée aujourd'hui et que tu as eu la chance de rater l'école, je me suis donné la mission de te raconter la journée fertile en rebondissements que tu as manquée.

Tout a commencé ce matin quand j'ai croisé Katherine devant l'école. Elle était assise toute seule et écoutait de la musique en regardant au loin.

Moi (en lui enlevant un écouteur) : Salut ! Qu'est-ce qui se passe ? Qu'est-ce que tu fais ici à regarder l'horizon d'un air déprimé ?

Katherine (en retenant ses larmes) : Je m'ennuie de Mike. J'écoute son groupe préféré, mais ça me rend triste.

Moi (en lui arrachant son iPod) : Bon, ben c'est fini, alors !

Katherine (en baissant les yeux) : Il n'y a pas juste ça. J'ai l'impression qu'une fille lui tourne autour.

Moi : Et comment sais-tu ça s'il est à des centaines de kilomètres de toi ?

Katherine (en prenant un air sérieux) : Par Facebook, voyons ! Quand on s'est parlé lundi, il m'a dit qu'il avait eu deux partys en fin de semaine. Évidemment, je me suis dépêchée d'aller espionner son profil pour voir s'il y avait des photos compromettantes. À ma grande joie, je n'ai rien remarqué d'anormal, à part une « Stacy » qui n'arrête pas d'ajouter des commentaires sur toutes les photos et qui se permet de mettre un « j'aime » sur à peu près tout ce qu'il fait. Je ne la connais pas, mais elle m'énerve.

Moi : As-tu pu espionner le profil de la fille ?

Katherine : Pas vraiment. J'ai juste accès à ses photos de profil.

Moi : Elle est comment ?

Katherine : Si elle était laide, penses-tu qu'elle me dérangerait ?

Moi : Bon point...

Alex est arrivé sur les entrefaites et s'est assis avec nous.

Alex : Alors, de quoi vous parlez ?

Moi : De rien...

Alex : Ah, je comprends ! Vous étiez en train de vous dire à quel point j'étais beau, et là, ça vous gêne de me complimenter en pleine face ? !

Moi : Wow ! On dirait que tu as repris des forces ! (Je faisais allusion à son attitude un peu « blah » des dernières semaines.)

Alex (en souriant) : Oui. Je pense qu'il fallait juste que je m'habitue au retour à l'école.

Katherine : En tout cas, ce n'est pas la modestie qui t'étouffe ! Mais malgré ton charme incomparable, ce n'est pas de toi qu'on parlait. Je racontais à Léa qu'il y a une tache américaine qui colle mon chum.

Alex a répondu quelque chose, mais je ne l'ai pas entendu, car j'étais trop occupée à observer Olivier et Maude qui s'approchaient en riant comme s'ils partageaient une grande complicité.

Moi : Il n'y a pas que ton Américaine qui soit tache !
Alex (en voyant à qui je faisais allusion) : Je t'avais dit de te méfier de lui !
Katherine : Ben là ! Ils font juste parler ! Il ne faut pas paranoïer, quand même !
Moi : Et Stacy-la-tache ne fait qu'aimer tout ce qui concerne Mike, alors tu n'as pas non plus de mauvais sang à te faire !
Katherine : Ouais, t'as sans doute raison...

Éloi est aussitôt venu s'asseoir avec nous.

Éloi : De quoi on parle ?
Katherine : De Mike et d'Olivier.
Moi : Chut ! Il arrive !

Olivier s'est approché de nous tandis que Maude rejoignait le reste de ses nunuches.

Olivier : Salut ! Léa, ça marche toujours pour demain ?
Moi (au comble du bonheur) : Oui ! Je t'attends chez nous vers 20 h !
Olivier : Super ! À plus !

Katherine, Éloi et Alex m'ont regardée d'un drôle d'air.

Katherine : Qu'est-ce qu'il y a demain ?
Moi : Rien, un party de Félix auquel j'ai invité Olivier.
Alex : Et pourquoi nous ne sommes pas invités ?
Moi : Parce que Félix m'a fait promettre de ne pas inviter ma gang.
Katherine : S'il s'imagine que c'est parce que je suis encore jalouse, il est dans le champ !
Éloi : Moi, il m'a invité !
Alex : Ce n'est pas juste. Je veux venir, moi aussi.
Moi : Il me semblait que « tu n'aimais pas les partys » ?
Alex : Ça, c'était le Alex déprimé par la fin des vacances. Maintenant, je veux faire la fête.

Éloi lui a donné une petite bine sur le bras.

Éloi : Ça, c'est mon Alex.
Katherine : Si Alex y va, je veux y aller aussi.
Moi : Non ! Si vous venez, Félix va me tuer, et je ne pourrai pas embrasser Olivier. On va se reprendre, c'est promis !

La cloche a sonné à cet instant précis, ce qui m'a permis de me sauver avant qu'ils n'insistent davantage.

À mon grand malheur, la journée commençait par notre cours d'anglais, et la prof nous a demandé de nous mettre deux par deux pour faire un exercice qui compterait dans le bulletin (duquel tu seras exemptée). Maude et moi avons toutes deux regardé en direction d'Olivier.

Moi et Maude : Oli, on se met ensemble ?
Olivier : Euh ! Je...
Éloi : Laissez le pauvre gars respirer ! Je vais me mettre avec lui, moi !

Je me suis alors tournée vers Katherine, qui s'était déjà assise en face d'Alex. Comme tu n'étais pas là, je n'avais plus personne vers qui me tourner !

Maude avait l'air aussi dépourvue que moi, puisque Marianne et Sophie étaient déjà jumelées ensemble.

La prof : *Girls*, mettez-vous en équipe !
Moi : Mais il ne reste personne !
La prof : Il reste vous deux !
Maude (d'un air hystérique) : Mais il ne reste personne d'autre !
La prof : *Enough ! You will work together, or I'll put you an F !*

Même si je suis nulle en anglais, j'ai bien compris que la prof ne me donnait pas d'autre choix que de travailler avec Maude, sans quoi j'allais couler l'exercice.

Maude (en grommelant) : Argh ! C'est de ta faute, face de tomate ! Si tu m'avais laissée me mettre avec Olivier, je ne serais pas pognée avec toi !
Moi (en me laissant choir en face d'elle avec un air de dégoût) : Et pourquoi je t'aurais cédé ma place, cerveau d'artichaut ?
La prof : *In English!*
Maude : *Tomato face!*
Moi : ...

Oups ! Je ne savais pas comment dire artichaut en anglais. 2 à 1 pour Maude.

J'ai sorti mon cahier et nous avons travaillé chacune de notre côté sans dire un mot. J'enviais tellement les autres équipes qui rigolaient et qui s'entraidaient. En plus, je ne connaissais pas la moitié des réponses. Je suis VRAIMENT nulle en conjugaison.

Moi (en soupirant) : Peux-tu m'aider pour les numéros 3, 8, 11, et 13 ?
Maude (d'un air bête) : Non !
Moi : On est censées travailler ensemble, Maude.

Maude : Non. On est obligées de travailler l'une en face de l'autre, mais je ne suis pas obligée de coopérer avec toi.

Moi : Si tu ne m'aides pas, je vais le dire à la prof.

Maude : Si tu le dis à la prof, je vais dire à Olivier que t'as des verrues plantaires.

Moi : Ouach ! Ce n'est même pas vrai ! Et si tu veux vraiment jouer ce petit jeu-là, je peux aussi inventer de fausses rumeurs à ton sujet.

Maude : Pfff ! Tu mens ! Et en plus, je ne vois pas ce que tu pourrais inventer.

Moi (en la regardant tout en plissant les yeux) : Compte sur moi pour laisser aller mon imagination. Je suis bonne là-dedans. J'ai appris des meilleures.

J'ai posé la main sur mon oreille comme si on venait de m'annoncer quelque chose par récepteur.

Moi : Quoi ? Oh, oui ? C'est vrai ? Maude pue des pieds ? Quoi ? Il y a pire ? Elle fait pipi au lit quand elle fait des cauchemars ?

La prof (en arrivant à côté de nous) : Il y a un problème ?

Maude m'a observée quelques secondes, puis elle a abdiqué.

Maude : Non. J'allais justement aider Léna à compléter ses exercices.

Moi (en lui arrachant sa feuille des mains) : *Thank you, Claude*.

Maude : Mon nom, c'est MAUDE !

Moi : Et moi, c'est LÉA !

J'ai copié ses réponses, puis j'ai remis ma copie à la prof avant de regagner ma place. Léa 2, Maude 2 !

Le reste de la journée s'est passé sans trop d'anicroches, mais tu m'as vraiment manquée ! Promets-moi de ne plus jamais déserter lorsqu'on a un cours d'anglais !

J'espère que tu t'es bien reposée et que tu seras à l'école demain, car j'ai VRAIMENT besoin de toi !

J'ai hâte de te voir !

Léa xox

📱 19-09 16 h 34

Lou! J'ai vraiment besoin d'aide! La semaine est enfin terminée, ce qui veut dire que c'est vendredi, ce qui veut dire que c'est le party de Félix, ce qui veut dire qu'Olivier vient chez moi tantôt et que je dois être vraiment *cute* pour le séduire! Et je ne sais pas quoi mettre! Peux-tu te connecter sur Skype pour me donner ton avis?

📱 19-09 16 h 39

Non, je ne peux pas! ☹ Je suis chez JP, et sa mère est sur l'ordi. Je m'excuse de ne pas pouvoir t'aider dans ta crise. Je suis une mauvaise amie!

📱 19-09 16 h 41

Mais non, voyons! Tu es simplement portée disparue depuis une semaine, mais ça me rassure de te savoir encore vivante!

📱 19-09 16 h 43

Je m'excuse! Disons que JP et moi avions du temps et des câlins à rattraper! ;) Lol! Mais si ça peut te rassurer, je file le parfait bonheur!

📱 19-09 16 h 45

Je suis contente pour toi ! ☺ Même si ça ne m'aide pas à gérer ma crise vestimentaire ! En plus, Jeanne est malade depuis deux jours et je n'arrive pas à la joindre !

📱 19-09 16 h 46

Relaxe ! À l'aveugle, je te dirais d'opter pour un look *cute*, mais pas trop intense. Ça reste un party chez toi, alors il faut que tu aies l'air relaxe. Tes skinny rouges et un chandail noir.

📱 19-09 16 h 48

Oh ! C'est bon ça ! Merci !! Je retourne à mon énervement ! Bon *frenchage* avec JP !

📱 19-09 16 h 49

Merci ! ;) Bonne chance ce soir, et donne-moi des nouvelles le plus vite possible !

À : Marilou33@mail.com
De : Léa_jaime@mail.com
Date : Samedi 20 septembre, 02 h 34
Objet : INSOMNIE !

Salut !
Je suis trop énervée par les événements d'hier pour dormir, alors je vais te faire un résumé immédiatement !

Quand Olivier s'est pointé chez moi, mon frère et quelques-uns de ses amis étaient réunis au salon pour écouter un match de hockey. Comme Olivier tripe sur les Canadiens, il s'est aussitôt présenté au groupe et mon frère l'a invité à s'asseoir avec eux.

La soirée ne se déroulait pas tout à fait comme je l'avais prévue, mais comme je voulais avoir l'air de la fille qui peut avoir du *fun* avec les gars et qui s'intéresse aux sports, je me suis assise à côté de lui et j'ai essayé de commenter le match en utilisant le très peu de connaissances que j'ai acquises au fil des années.

Lui : Price est fort ce soir.
Moi : Ouais !
Félix : Mets-en ! L'as-tu vu jouer contre les Pingouins, mardi ? C'était débile.
Moi : Ouais !
Félix (en me regardant d'un air douteux) : Qu'est-ce que t'en sais, toi ?

Moi : Euh ! Je l'écoutais dans ma chambre.

Félix : Tu n'as pas le câble dans ta chambre.

Moi (en faisant de gros yeux à Félix) : Euh ! Je l'écoutais sur Internet.

Félix : Me semble, ouais.

Le problème avec un match de hockey, c'est que ça dure, genre, trois heures, et qu'au bout de deux périodes, j'avais épuisé tout mon savoir et que je commençais à être tannée.

Félix a alors offert une bière à Olivier, qui a accepté.

Moi : Et moi ?

Félix : Toi, tu ne sais pas boire !

J'ai suivi Félix jusque dans la cuisine.

Moi (en chuchotant) : Pourquoi tu me voles ma *date* ?

Lui : Premièrement, tu n'étais même pas censé inviter des amis, alors ne te plains pas si je suis gentil avec lui ! Deuxièmement, ce n'est pas ma faute si ta *date* aime mieux regarder le hockey que de parler de manucure avec toi !

Moi : T'es con ! Ça achève-tu, cette partie-là ? Je veux passer un peu de temps de qualité avec lui avant qu'il doive partir !

Lui : Il reste gros max une demi-heure. Et je te souhaite que les Canadiens gagnent.

Moi : Pourquoi ?

Lui : Parce qu'un gars est toujours de meilleure humeur quand son équipe gagne.

Quelqu'un a sonné à la porte et Félix est allé répondre. J'en ai profité pour lui voler une bière. Tu sais que je n'aime pas particulièrement le goût de l'alcool, mais j'avais besoin de me détendre un peu, et d'apprécier le match !

Comme tu sais que je n'ai à peu près aucune tolérance à l'alcool, les effets de ma bière ont commencé à se faire ressentir après quelques gorgées. J'ai alors réalisé que le salon était maintenant bondé de gens et que tout le monde à part moi semblait intéressé par l'issue de la rencontre.

Au bout d'un moment, un joueur portant un chandail blanc a compté un but.

Moi (en levant les bras comme une dinde) : Hourra !

Tous les regards se sont tournés vers moi.

Félix : Qu'est-ce que t'applaudis ?

Moi : Euh !, le but.

Olivier (en chuchotant) : Tu n'applaudis pas la bonne équipe !

Moi : Quoi ? Mais les Canadiens sont habillés en blanc, non ?

Félix : Non. Ce sont les rouges. Le chandail blanc, c'est quand ils jouent à l'étranger.

Moi : Oups.

Je me suis caché le visage derrière un coussin et je me suis enfoncée dans le sofa. Si Maude avait été là, elle se serait fait un plaisir de commenter ma *tomato face*, car j'étais pourpre à ce moment-là !

J'ai écouté le reste du match distraitement tout en surveillant Olivier du coin de l'œil. Il semblait très nerveux. Mes dernières gorgées de bière m'ont fait perdre le fil du match, mais j'ai fini par comprendre qu'on avait tout de même remporté la partie.

À la fin du match, Olivier s'est levé et mon frère lui a aussitôt tendu une deuxième bière. Félix a ensuite mis de la musique et ses amis se sont entassés dans le salon pour discuter.

Comme j'avais la tête qui tournait légèrement, je suis allée me servir un verre d'eau dans la cuisine.

Olivier (en arrivant derrière moi) : Tu peux m'en servir un, s'il te plaît ?

Moi : Oui ! Tiens.

Je lui ai tendu un verre et nos doigts se sont touchés. J'ai ressenti une décharge électrique.

Moi : Aïe !

Olivier : Excuse-moi !

Moi (en souriant pour le charmer) : Ce n'est pas ta faute. Je pense que le hockey me rend électrique !

Olivier (d'un air coquin) : Ou alors c'est parce qu'il y a beaucoup d'électricité dans l'air.

Il s'est approché de moi et mon cœur s'est mis à battre très fort.

Olivier : Merci de m'avoir invité.

Moi : Merci d'avoir accepté.

Olivier : C'était un *no-brainer*.

Moi : Hein ?

Olivier : Je veux dire que je n'ai pas hésité une seconde.

Moi : Excuse-moi. Je suis vraiment poche en anglais.

Olivier (en se rapprochant davantage) : Moi, je trouve ça *cute* que tu sois poche en anglais.

Moi (en m'avançant aussi) : Et moi, je trouve ça *cute* que tu aies offert de m'aider.

Olivier s'est penché vers moi (il est VRAIMENT plus grand que moi, genre, d'une tête !), mais juste au moment où il allait m'embrasser, une voix que je connaissais bien est venue nous interrompre.

Voix connue : Allo, les amoureux !

J'ai regardé derrière l'épaule d'Olivier, et j'ai vu Éloi qui tenait une grande brune par la main.

Moi (en me détachant d'Olivier, mal à l'aise) : Hum, euh !, salut, Éloi ! Contente que tu sois passé !
Éloi (en m'embrassant sur une joue) : Je vous présente ma blonde Caroline. Caro, voici Léa, Olivier.
Moi : Pas besoin de dire mon nom de famille, quand même ! Je ne suis pas le premier ministre !
Éloi : Je ne dis pas ton nom de famille, je dis le prénom de mon ami.
Moi (en riant comme une épaisse) : Ah, c'est vrai ! Ça me mélange tout le temps !
Éloi (en s'adressant à sa blonde) : Tu comprendras que Léa s'appelle Léa Olivier.
Caroline : Ah, c'est drôle ! Si vous vous mariez un jour et que ton chum prend ton nom de famille, il s'appellera Olivier Olivier !

Moment de silence incommodant. Merci Caroline-que-je-ne-connais-pas d'insinuer qu'Olivier est déjà mon chum alors que ton arrivée impromptue m'a empêchée de l'embrasser pour la toute première fois !

Olivier a brisé le silence en posant des questions à Caroline, et Éloi m'a fait comprendre en gesticulant qu'il était désolé de nous avoir interrompus. Nous avons passé près d'une heure à discuter tous les quatre dans la cuisine, et quand Éloi et Caroline nous ont dit qu'il était l'heure de rentrer, Olivier m'a annoncé qu'il devait partir, lui aussi. Éloi a alors compris qu'il devait réparer son erreur.

Éloi : Je veux juste aller saluer Félix avant de partir. Caro, veux-tu venir avec moi ? Je pourrais te le présenter.
Caro : C'est bon, je vais t'attendre ici.

Elle est bien gentille sa blonde, mais elle n'est pas *full* futée.

Éloi (en faisant de gros yeux à Caro) : J'aimerais vraiment que tu viennes.
Caro (en comprenant enfin qu'il voulait nous laisser seuls) : Oh ! Je comprends ! J'arrive !

Ils sont sortis de la cuisine, puis je me suis tournée vers Olivier en rougissant.

Moi : Désolée... Ce n'était pas *full* subtil, leur affaire.
Lui (en m'attirant vers lui) : Je m'en fous. J'avais juste hâte qu'ils partent.

Puis il m'a embrassée. Et c'était... Hum... Comment dire... bizarre ? Différent ? Tu sais que je n'ai pas *frenché* des tonnes de gars, mais c'est la première fois qu'un garçon m'embrasse de cette façon.

Comme je te connais bien et que je sais que tu ne me laisseras pas m'en sortir aussi facilement, laisse-moi être plus précise. Il y avait beaucoup de salive, il utilisait beaucoup (trop) sa langue, et on aurait dit que je me faisais attaquer par une torpille !

Mais peut-être que c'est moi qui embrasse mal ou qui ne suis pas habituée à cette technique ? Qu'est-ce que t'en penses ? Est-ce que ça t'est déjà arrivé ?

Au bout d'un moment, je me suis détachée de lui et je me suis détournée pour m'essuyer discrètement la bouche. Éloi et Caroline sont alors revenus pour nous dire au revoir. Je les ai accompagnés jusqu'à la porte, et Olivier est parti trois minutes après eux.

Avant de sortir de la maison, il m'a donné un baiser sur le front et m'a souhaité bonne nuit, ce que je trouve très mignon.

Comme mes parents rentraient à minuit trente, j'ai aidé Félix à ramasser les bières, puis je me suis enfermée dans ma chambre pour réfléchir à tout ce qui s'était passé.

Si on s'est embrassés, est-ce que ça veut dire qu'on « sort ensemble » ? Nous n'avons rien établi, et je m'imagine très mal arriver à l'école lundi matin et prendre sa main devant tout le monde !

Est-ce que je devrais attendre de voir comment il agit avec moi ?

En y réfléchissant bien, même si je le trouve mignon et tout, je ne sais pas si j'ai vraiment envie d'avoir un chum en ce moment... Je trouve ça cool de pouvoir le fréquenter, mais comme je le connais à peine, je n'arrive pas encore à être complètement à l'aise avec lui.

Mais d'un autre côté, je paierais cher pour que Maude nous voie main dans la main...

J'ai besoin de ton opinion à propos de tout ça ! Fais-moi signe quand tu te libéreras pour qu'on puisse parler !
Léa xox

À : Léa_jaime@mail.com
De : Jeanneditoui@mail.com
Date : Samedi 20 septembre, 14 h 57
Objet : Je remonte la pente !

Coucou !
Merci pour ton long courriel ! Sans blague, tu m'as fait rire et tu m'as fait oublier mon rhume pendant

quelques minutes ! Ça va un peu mieux depuis ce matin, mais j'avoue que j'ai passé les deux derniers jours complètement dans les vapes !

Alex est venu me visiter hier après l'école pour me donner mes devoirs et prendre soin de moi pendant quelques heures, et c'est à peine si je me souviens de ce dont nous avons parlé !

La seule chose que j'aie remarquée, c'est qu'il était plus souriant ! Il faut croire que sa déprime saisonnière a disparu ! Et apparemment, ça lui a fait du bien que je m'absente pendant deux jours, car il était super colleux avec moi ! Il n'avait même pas peur d'attraper mon rhume !

Et toi ? Comment ça s'est passé hier avec Olivier ? Je veux les détails !

Je t'embrasse fort, mais de loin pour éviter que tu attrapes mes microbes !
Jeanne

Dimanche 21 septembre

13 h 19

Léa (en ligne): Lou? Es-tu là?

13 h 19

Marilou (en ligne): Oui! Je m'apprêtais à te texter! Comment ça va?

13 h 20

Léa (en ligne): Mal. Je viens de me chicaner avec mes parents.

13 h 21

Marilou (en ligne): Comment ça?

13 h 23

Léa (en ligne): Parce qu'ils trouvent que la maison est sale depuis vendredi, et ils prétendent que comme mon frère a eu la gentillesse de m'inclure dans sa fête, je devrais lui donner un coup de main pour le ménage, ce que je trouve vraiment injuste. Après tout, c'était SON party, et je n'avais qu'un ami, alors je ne vois pas pourquoi ce serait à moi de tout nettoyer! Ils m'énervent!

13 h 24

Marilou (en ligne): Je te comprends. Mes parents aussi me cassent les oreilles jour et matin pour que je range mes affaires, alors que c'est presque toujours mon petit frère qui est responsable du désordre!

13 h 26

Léa (en ligne): C'est n'importe quoi! Et quand j'ai essayé de défendre mon point, ils ont commencé à me casser les oreilles avec des histoires de priorités. «Tu ne devrais pas passer autant de temps à regarder la télé et à gosser sur l'ordinateur, Léa! Les notes de secondaire 4 sont cruciales pour ton entrée au cégep! Il va falloir que tu revoies tes priorités!» L'école a commencé il y a TROIS semaines! Est-ce que je peux respirer, un peu?

13 h 24

Marilou (en ligne): Complètement d'accord! Les parents ne comprennent rien! Et as-tu eu des nouvelles d'Olivier?

Léa (en ligne): Non, et je suis encore plus confuse que vendredi! J'ai bien hâte de voir comment ce sera entre nous demain matin! D'un côté, je n'ai pas envie qu'il m'ignore, mais de l'autre, je n'ai pas non plus envie qu'il me *frenche* aussi... intensément que vendredi devant toute l'école!

13 h 24

Marilou (en ligne): Je voulais justement t'en parler! Je te rassure tout de suite, Léa: le problème, ce n'est pas toi. Je ne crois pas que la torpille soit une technique secrète! Je pense simplement que c'est lui qui embrasse mal!

13 h 25

Léa (en ligne): Tu crois?

13 h 25

Marilou (en ligne): Sois honnête: est-ce que Thomas embrassait comme ça?

13 h 26

Léa (en ligne): Non! Pas du tout! Thomas pouvait parfois être maladroit, mais il n'embrassait pas comme une torpille!

13 h 27

Marilou (en ligne): Et Éloi? Et Alex?

13 h 27

Léa (en ligne): Non plus. Éloi était doux. Et Alex... Alex remporte la palme. C'était magique!

13 h 28

Marilou (en ligne): Le problème, c'est donc Olivier! Mais ne t'en fais pas: ça se travaille!

13 h 28

Léa (en ligne): Ah oui? Es-tu en train de m'avouer que JP a déjà été une torpille?

13 h 29

Marilou (en ligne): Ben non, voyons! Disons simplement qu'au début... Ça ne cliquait pas *full* quand on s'embrassait, mais qu'avec le temps, c'est devenu magique, comme tu dis.

13 h 30

Léa (en ligne): OK, ça me rassure. Et demain, j'agis comment?

Marilou (en ligne): Charmante, mais détachée.

Léa (en ligne): Hein?

Marilou (en ligne): Ben oui! Il ne faut pas qu'il sente que tu es trop intéressée; il doit avoir l'impression que tu es au-dessus de tes affaires, et que tu es une fille indépendante. Mais tu dois faire tout ça en lui envoyant le sourire le plus charismatique et ravageur qui soit, pour qu'il réalise que tu es une femme extraordinaire et que Maude est un pichou.

Léa (en ligne): OK. Je vais essayer! Je te reviens là-dessus! Je dois filer, parce que mes parents s'obstinent à ce que je nettoie la maison, et que, même si je trouve ça injuste, il faut que j'obéisse si je veux qu'ils me laissent venir te voir à l'Action de grâce (ils m'ont dit oui, à condition que je sois sage). Je dois aussi terminer mes dernières corrections pour mon texte dans le journal.

13 h 37

Marilou (en ligne): OK ! Texte-moi demain si tu as besoin de conseils à l'école !

13 h 37

Léa (en ligne): Promis ! xx

▫ 22-09 11 h 34

Lou! Je t'écris discrètement, car je suis dans mon cours de français. J'ai appris à mes dépens que je ne sais pas faire des sourires ravageurs charismatiques tout en essayant d'être détachée!

▫ 22-09 11 h 37

Hein? Comment ça?

▫ 22-09 11 h 38

Parce que j'essaie depuis ce matin, et qu'à chaque fois quelqu'un me demande pourquoi je fais des grimaces! Et Olivier me regarde d'un air bizarre parce qu'il ne comprend pas pourquoi je fais des faces comme ça!

▫ 22-09 11 h 39

OK, laisse faire le sourire ravageur, mais fais-lui un petit signe de la main. Genre, un peu dragueur et mystérieux!

▫ 22-09 11 h 41

Comment un signe de la main peut être dragueur et mystérieux????

📱 **22-09 11 h 43**

Ben genre, tu lui fais un petit allo de la main tout en lui envoyant un regard sexy et mystérieux!

📱 **22-09 11 h 48**

Léa? Qu'est-ce qui se passe? Tu ne m'as pas répondu!

📱 **22-09 11 h 51**

Argh. Échec total. J'ai essayé de faire un petit salut sexy et mystérieux, mais Olivier n'a pas semblé comprendre. Maude a ri de moi devant tout le monde en disant que j'avais des tics nerveux et le prof m'a chicanée parce que je distrayais la classe.

📱 **22-09 11 h 53**

OK. On va opter pour la simplicité. Quand le cours finit, va le voir et demande-lui s'il a passé une belle fin de semaine. On verra où ça te mène!

📱 **22-09 12 h 23**

Il a disparu avec Maude! Je n'ai même pas eu le temps de lui parler! Grrr! Je dois me rendre au journal, mais je te réécris plus tard! Xx

Mercredi 24 septembre

21 h 19

Katherine (en ligne): Léa? Je te dérange?

21 h 21

Léa (en ligne): Non, je viens juste de raccrocher avec Marilou. Je voulais lui faire un résumé de ma semaine avec Olivier. Ç'a été plutôt rapide puisque je n'ai RIEN à dire!

21 h 22

Katherine (en ligne): Vous n'avez pas du tout reparlé de votre baiser de vendredi?

21 h 23

Léa (en ligne): Non, et chaque fois que j'essaie de me rapprocher de lui ou de lui parler, Maude s'empresse de nous interrompre! Elle agit comme une prédatrice, et ça m'énerve!

21 h 24

Katherine (en ligne): Peut-être que tu devrais lui proposer de faire une activité seule avec lui... ce serait plus facile d'en discuter, ou alors de l'embrasser à nouveau!

21 h 25

Léa (en ligne): Oui, je sais! Je comptais l'inviter à se joindre à nous chez Alex, vendredi soir, pour voir un film...

21 h 26

Katherine (en ligne): Bonne idée!

21 h 26

Léa (en ligne): Et toi, comment ça se passe avec Mike?

21 h 27

Katherine (en ligne): Pas super bien. Chaque fois que je lui parle, il semble pressé de raccrocher. ☹

21 h 28

Léa (en ligne): Penses-tu qu'il cherche à casser?

Katherine (en ligne): Quand je l'ai demandé tout à l'heure, il m'a assuré qu'il voulait être avec moi et que mon imagination me jouait des tours… Mais je ne suis pas folle, Léa! Je vois bien qu'il est distant! En plus, la fille-trop-motivée-qui-aime-tous-ses-statuts a fait un retour en force cette semaine. Elle a publié un message sur son mur. «On se voit vendredi? *Big hugs!*» Je vais t'en faire, moi, des «gros câlins»!

21 h 31

Léa (en ligne): Ah! Elle nous énerve tellement! Mais si Mike t'assure que c'est toi qu'il aime et que tu n'as pas de soucis à te faire, c'est certainement parce que c'est vrai. ☺

21 h 32

Katherine (en ligne): Peut-être. C'est ce que je vais vérifier.

21 h 33

Léa (en ligne): Hein? Vérifier comment? Tu me fais peur, là!

21 h 34

Katherine (en ligne): Je vais espionner sa boîte de courriels. Je sais que c'est une mesure extrême, mais je n'ai pas le choix! Je ne dors plus la nuit! Il faut que je découvre la vérité!

21 h 35

Léa (en ligne): Et comment comptes-tu t'y prendre?

21 h 35

Katherine (en ligne): Facile: je l'ai épié quand il est venu à Montréal et j'ai découvert son mot de passe...

21 h 35

Léa (en ligne): Kath! Ce n'est pas super discret de fouiller dans sa boîte! S'il s'aperçoit que tu as envahi son intimité, il va sûrement capoter.

21 h 37

Katherine (en ligne): Je sais... C'est pour ça que je dois être discrète dans mon indiscrétion! ;)

Léa (en ligne): OK. Mais comment comptes-tu t'y prendre?

Katherine (en ligne): En ne laissant aucune trace...

Léa (en ligne): Prends le temps de réfléchir avant d'agir...

Katherine (en ligne): Trop tard! Je suis déjà dans sa boîte!

Léa (en ligne): OH! Et qu'est-ce que tu vois?

Léa (en ligne): Katherine? Ça va?

Katherine (en ligne): NON! J'ai trouvé la confirmation qu'il fréquente quelqu'un là-bas! Ce n'est pas Stacy-la-gossante. C'est une autre fille qui n'est même pas sur Facebook. (J'ai déjà vérifié.) Je capote! Pourquoi il m'a menti? Et pourquoi il s'obstine à rester avec moi alors qu'il voit déjà quelqu'un d'autre?

21 h 50

Léa (en ligne): ☹ Je ne sais pas. Je t'appelle tout de suite!

À : Léa_jaime@mail.com
De : Marilou33@mail.com
Date : Vendredi 26 septembre, 21 h 34
Objet : J'ai besoin d'action !

Salut !

Alors, comment ça se passe avec Olivier ? Je n'ai pas de nouvelles depuis mercredi ! As-tu réussi à l'aborder ? Est-ce que vous avez reparlé du fameux baiser de la semaine dernière ?

De mon côté, je n'ai pas grand chose de nouveau (et c'est d'ailleurs pour ça que je veux que tu m'écrives ! ! J'ai besoin d'action !), à part que Laurie n'est pas *full* ouverte à se rapprocher de Christian. Lui et moi passons pas mal de temps ensemble depuis quelques semaines (maintenant que je suis revenue avec JP et que nous avons établi que nous n'étions que des amis, c'est beaucoup plus simple), et comme il n'arrêtait pas de me casser les oreilles à propos de Laurie, j'ai décidé de lui en glisser un mot ce midi, alors que j'étais assise à une table de la cafétéria avec elle et Steph.

Moi (en mangeant une carotte) : Laurie, est-ce que tu es encore dans un *mood* anti-gars, ou est-ce que tu es ouverte à rencontrer quelqu'un ?

Laurie (en me regardant d'un air surpris) : Pourquoi me poses-tu cette question-là ?

Moi : Parce que je connais un garçon qui souhaiterait te connaître !

Laurie : Si c'est ton ami *nerd*, tu peux oublier ça !

Moi : Tu parles de Christian ? Il n'est pas si *nerd* que ça, Laurie ! Et comment sais-tu que je voulais parler de lui ?

Laurie : Parce qu'il n'arrête pas de me regarder avec des yeux de biche attendrie et que ça m'énerve ! Regarde, il le fait en ce moment !

J'ai regardé à ma gauche et j'ai croisé le regard de Christian, qui fixait effectivement Laurie d'un air attendri sans porter la moindre attention à la fille qui était assise à côté de lui et qui essayait de l'impressionner. C'est là que j'ai pris conscience d'une réalité de la vie : on dirait que nous sommes toujours portés à aimer les gens qui ne nous aiment pas en retour ! Après tout, si Christian s'attardait un peu à son amie bollée au lieu d'aimer Laurie, nous aurions un match parfait !

Moi (en essayant tout de même de défendre mon ami) : Mais je t'assure qu'il est vraiment cool comme gars, et qu'il est pas mal moins coincé que ce que tu penses.

Laurie : Peut-être, mais présentement, je suis en introspection et j'essaie de me concentrer sur moi.

J'ai soupiré. Tu connais Laurie et ses multiples quêtes !

Moi : OK, mais promets-moi de lui donner une chance ! Je ne dis pas que tu dois sortir avec lui ; je dis juste que tu devrais apprendre à mieux le connaître.

Laurie (distraitement) : Ouais, OK.

Seb et JP sont arrivés à cet instant.

Seb : J'ai faim !

Steph : Assieds-toi et mange !

Laurie s'est aussitôt levée et nous a regardés d'un air indigné.

Laurie : Vous voyez comment ça vous rend d'avoir des chums ? Vous êtes toujours à l'affût de leurs petits besoins ! Les filles, quand vous aurez envie de VOUS écouter, vous me ferez signe et je vous dirai comment faire. Ciao !

JP (en me prenant par la taille) : Qu'est-ce qui lui prend ?

Moi : Elle n'a pas fini son embargo sur les gars.

Steph : Ni sa quête introspective ! Laurie me fait rire avec son intensité !

Après l'école je suis allée souper chez Steph, et je viens de rentrer. Je dois d'ailleurs me lever à 7 h demain matin pour un entraînement de natation, alors je dois te laisser. J'adore nager, mais j'avoue que je commence à trouver ça pénible de devoir me lever tôt le samedi matin !

J'attends de tes nouvelles !
Lou xox

P.-S. : Thomas sera à Montréal dans une semaine, non ? Commences-tu à être nerveuse ? À ce que j'ai pu voir, lui et Sarah sont toujours ensemble, alors j'espère qu'il n'essaiera pas de te charmer. Quoique ça me ferait un petit velours qu'il lui joue dans le dos ! Mouahaha (rire diabolique).

À : Marilou33@mail.com
De : Léa_jaime@mail.com
Date : Dimanche 28 septembre, 00 h 23
Objet : Que d'émotions !

Coucou !
Je sais que j'ai été absente ces derniers jours, mais ç'a été la folie à l'école (apparemment, mes parents avaient raison. Le secondaire 4, c'est intense !) : j'avais un examen de maths, un travail d'anglais à remettre, mon fameux article pour le journal que je devais peaufiner (autre mot savant appris grâce à Éloi), sans compter que j'ai passé beaucoup de temps à remonter le moral de Katherine, qui a découvert en fouillant dans les courriels de son Mike qu'il fréquentait aussi quelqu'un

aux États-Unis. Disons qu'elle n'avait pas besoin de ça après ce que Félix lui a fait subir au printemps ! Ça fait trois jours qu'elle se traite de « reine des cocues ». Elle n'a toujours pas affronté Mike à ce sujet, car elle dit qu'elle est trop triste et qu'elle a besoin de lui parler (et de casser) à tête reposée. En attendant, elle ignore ses courriels et ses appels, et elle a envie de former un club anti-gars. Je pense qu'elle et Laurie s'entendraient à merveille !

Pour ce qui est d'Olivier, comme tu le sais, j'avais prévu de l'inviter à venir voir un film chez Alex hier soir, mais il avait déjà planifié une soirée en famille. J'étais un peu déçue, d'autant plus qu'il n'y a eu aucun rapprochement physique entre nous cette semaine. J'avais même l'impression qu'il faisait exprès pour agir comme si rien ne s'était passé. En plus, Maude a continué à lui tourner autour comme un vautour. Grrr.

Vendredi après-midi, j'étais en train de ramasser mes cahiers pour la fin de semaine quand il m'a offert d'aller dans un café pour m'aider à terminer le travail d'anglais que je dois remettre lundi (c'est moins excitant qu'une soirée collée à écouter un film, mais j'ai quand même pris ça comme un signe d'intérêt).

On s'est installés à table, et au bout d'une heure, on avait tout terminé !

Moi : Tu es une bonne influence, Olivier ! Je me surpasse quand tu es là.

Olivier (en regardant autour de lui, puis en me prenant la main) : Je suis content d'avoir cet effet-là sur toi.

Même si je ne comprenais pas pourquoi il semblait nerveux, ni pour quelles raisons il s'était assuré que personne ne nous observait avant de prendre ma main, j'étais contente qu'il ait pris l'initiative du contact physique.

Nous avons passé près d'une demi-heure dans le café à discuter de tout et de rien, et quand nous sommes partis, il m'a attirée dans une ruelle pour m'embrasser.

Pourquoi il m'embrasse dans une ruelle ?

Je t'annonce que la torpille est toujours bien présente. J'ai tout essayé pour tenter de ralentir ou tempérer son... enthousiasme, mais ça n'a pas marché.

On s'est ensuite quittés sans rien se dire.

Comme tu me connais bien, tu te doutes que j'ai déjà commencé à spéculer sur les raisons qui le poussent à m'embrasser en cachette, et ma conclusion, c'est qu'il a honte de moi. Peut-être qu'au fond, il est, genre, *best* avec les nunuches, et qu'il ne veut pas s'afficher avec moi devant elles pour ne pas se faire juger ?

Je sais que la semaine dernière je t'ai écrit que je n'étais pas certaine de vouloir une relation avec lui, mais ce n'est pas une raison pour que ce soit lui qui mène le bal, ni pour qu'il me fasse sentir comme une laideronne !

D'un autre côté, tout ce qui se passe avec Olivier m'empêche de trop penser à la venue de Thomas, ce qui n'est pas une mauvaise chose. C'est évident que ça me stresse de le revoir, mais ça me semble encore irréel. C'est comme si je n'y croyais pas !

Le reste de ma fin de semaine s'est déroulée dans le calme. Vendredi soir, j'ai été voir un film chez Alex avec le reste de la gang, mais nous avons dû l'interrompre pour consoler Katherine, car les fossettes de l'acteur principal lui rappelaient celles de Mike !

Hier, j'ai passé une journée mère-fille au centre-ville. J'ai été voir une exposition que ma mère tenait à visiter au Musée des beaux-arts, et ensuite, nous avons fait un crochet par le Garage, le Forever 21 et le Simons.

En soirée, j'ai écouté un film avec elle et mon père. Félix est encore sorti dans un bar. Il m'énerve d'avoir dix-huit ans ! Je voudrais vraiment y aller avec lui, un de ces quatre !

Je te laisse, car je m'endors, mais j'ai très, très hâte de te voir ! Plus que deux petites semaines et je serai avec toi !

Bonne nuit !
Léa xox

Le Blogue de Manu

Inscris un titre : Est-ce qu'il a honte de moi ?

Écris ton problème : Salut, Manu ! Je sais que je t'ai écrit récemment à propos de mon ex, mais j'ai un autre gars qui me trotte dans la tête. J'ai un gros *kick* sur un garçon de ma classe qui s'appelle Olivier, et au fil des semaines, on s'est beaucoup rapprochés. Le souci, c'est que Maude, ma pire ennemie, a elle aussi un œil sur lui et qu'on se bat constamment pour son attention.

La semaine dernière, j'ai invité Olivier chez moi pour une fête, et il m'a finalement embrassée. Il l'a refait cette semaine, mais il s'est assuré de m'attirer dans une ruelle avant, pour que personne ne nous voie. Le problème, c'est que lorsque nous nous croisons à l'école, il me traite comme une simple amie et qu'il n'est pas affectueux avec moi, mais que, lorsqu'on est seuls, il a vraiment l'air de s'intéresser à moi. Je commence à croire qu'au fond, il a honte de moi et qu'il ne veut pas s'afficher devant

Maude et ses nunuches de peur de faire rire de lui. ☹

Qu'en penses-tu ?
Léa xox

Manu répond à deux questions par semaine. Tu seras peut-être choisie...

Chapitre 4 :
Le vent dans les voiles

À : Léa_jaime@mail.com
De : Marilou33@mail.com
Date : Dimanche 28 septembre, 11 h 22
Objet : Le retour infernal de Sarah Beaupré

Salut !
Je sais que je t'ai écrit il y a moins de quarante-huit heures en te disant qu'il n'y avait pas d'action dans ma vie, mais ça, c'était parce que je sentais que Sarah Beaupré ne faisait plus partie de mon existence.

La bonne nouvelle depuis que je suis revenue avec JP, c'est que je suis plus heureuse (même mes parents et mon petit frère l'ont remarqué). La mauvaise, c'est que ça implique que je doive passer plus de temps avec ses amis, et que je suis par conséquent parfois forcée de partager le même périmètre que Sarah Beaupré. C'est exactement ce qui est arrivé hier.

Après mon entraînement, je suis allée rejoindre JP chez lui. Je pensais passer une petite soirée en amoureux, mais il m'a annoncé à mon arrivée que ses amis étaient déjà en route. Tu peux te douter de ma réaction.

Moi (les mains sur les hanches) : C'est quoi l'affaire, JP ? Tu m'avais promis que ça allait changer si on revenait ensemble, et là, tu m'annonces que tu n'es toujours pas capable de dire non à tes amis ?

JP (en me regardant d'un air piteux) : Je sais, et je te JURE qu'on va se reprendre, Lou. La fin de semaine prochaine, je vais te préparer un souper d'amoureux !

Moi : Tu ne sais même pas faire à manger !

JP : Ma mère va m'aider ! Elle est tellement contente qu'on soit revenus ensemble qu'elle est prête à tout, elle aussi, pour te rendre heureuse !

Moi (en soupirant) : C'est gentil, JP, mais j'ai eu une journée *full* crevante, et j'avais vraiment envie de passer une soirée relaxe avec toi !

JP (en me prenant la main) : Ça va être relaxe, promis ! La vérité, c'est que Thomas ne file pas, et qu'il n'avait pas envie de passer la soirée seul avec Sarah, alors je lui ai offert de regarder un film avec nous...

Moi (en lui coupant la parole) : Pourquoi il ne file pas, lui ? Son alternative est en panne ?

JP : On dit un alternateur, chérie.

Moi (en croisant les bras sur la poitrine) : Tu ne m'aides pas à t'aimer, là.

JP (en m'embrassant sur la joue) : Arrête de bouder ! Il n'est pas malheureux à cause d'un problème de voiture !

Moi : C'est quoi, alors ?

JP : Tu n'aimeras pas la réponse.

Moi : Dis-moi quand même !

JP : Il est stressé à l'idée de revoir Léa, et tu sais que ça ne va pas *full* bien avec Sarah.

Moi : QUOI ? C'est quoi, son problème ? Il n'a pas d'affaire à stresser, car il ne se passera rien du tout entre lui et Léa !

JP : Je savais que tu réagirais comme ça ! Je ne te demande pas de le soutenir, Lou. Je faisais juste répondre à ta question...

Moi (sans l'écouter) : Pfff ! Si tu penses que je vais avoir pitié de Thomas, tu te mets le doigt dans l'œil !

Sarah Beaupré (en arrivant derrière nous) : Pitié pour quoi ?

Je me suis retournée et je l'ai vue qui me regardait droit dans les yeux. JP est devenu blanc. On ne savait pas si elle avait entendu toute notre conversation.

Moi (du tac au tac, sans réfléchir) : Pitié de son horaire parce que JP prétend qu'il travaille trop. Il est où, d'ailleurs ?

Sarah (d'un air peu convaincu) : Il est en train de parler avec la mère de JP. Il va être ici dans deux minutes.

Thomas est finalement venu nous rejoindre et JP lui a proposé de jouer une partie de hockey à la console pour détendre l'atmosphère. J'ai texté à Steph pour la supplier de venir nous rejoindre au plus vite, puis je me suis installée sur le sofa. Sarah est aussitôt venue s'asseoir à côté de moi.

Sarah (en chuchotant) : De quoi parlais-tu, tantôt ?

Moi (d'un air excédé) : Je te l'ai dit. Je parlais de Thomas et son travail.

Sarah (en plissant les yeux) : Je ne te crois pas, Mari-chose. Thomas a l'air tout à l'envers et je veux savoir pourquoi ! Est-ce que c'est parce qu'il va à Montréal ? C'est quoi, là ? Ta petite amie débile veut essayer de lui remettre le grappin dessus ?

Moi (d'un air détaché) : Mon amie-pas-débile est passée à autre chose depuis longtemps, Sarah. Ce n'est pas de sa faute si ton chum n'arrive pas à l'oublier.

Sarah : Me semble, ouais ! Thomas m'a dit que c'est elle qui avait insisté pour qu'ils se revoient, mais qu'évidemment il avait refusé.

Je me suis aussitôt étouffée avec mon verre d'eau.

JP : Ça va ?
Moi : Ça dépend ce que tu veux dire par là !

J'ai observé Sarah, qui se rongeait les ongles. Je n'en revenais pas que Thomas lui ait fait avaler un truc pareil ! Je ne savais pas trop comment réagir, car si je lui disais la vérité, j'avais peur qu'elle te harcèle, ou alors que JP me fasse la morale.

Moi (en me levant) : Pense ce que tu veux, Sarah. J'ai mieux à faire que de surveiller les allées et venues de ton chum.

Sarah : Tu diras à Léa que si jamais si elle pose un doigt sur lui, elle va le regretter.

Moi (d'un ton sarcastique) : Je suis sûre qu'elle tremble déjà comme une feuille.

Heureusement, Seb et Steph sont arrivés à cet instant, et j'ai pu attirer mon amie loin des griffes de Sarah. JP nous a ensuite offert de regarder un film, mais je me suis endormie après quinze minutes. Je lui ai alors annoncé que j'étais fatiguée et que je préférais rentrer chez moi. Il a insisté pour que je reste, mais je ne pouvais supporter l'idée de demeurer encore deux heures assise près de Sarah Beaupré. Si je m'endormais encore, allait-elle en profiter pour me dessiner une moustache ?

JP m'a déjà appelée deux fois depuis ce matin pour s'assurer que je n'étais pas fâchée contre lui et que je le pardonnais pour hier. Est-ce que je peux voir ça comme un progrès, tu penses ?

Apparemment, Sarah ne sait donc pas que Thomas et toi allez vous voir à Montréal. Crois-tu que c'est parce qu'il ressent encore quelque chose pour toi et qu'il voit ça comme une trahison ? Ou simplement parce qu'elle est jalouse et qu'il ne veut pas se taper de crise ?

Je te laisse; mes parents vont faire l'épicerie et je dois garder Zak. Écris-moi dès que tu peux !
Lou xox

À : Marilou33@mail.com
De : Léa_jaime@mail.com
Date : Lundi 29 septembre, 17 h 21
Objet : Il m'aime, il ne m'aime pas ?

Coucou !
Commençons par les bonnes nouvelles !

Premièrement, la colère de Sarah Beaupré. Je suis contente que tu ne lui aies pas tout dit ! Honnêtement, je ne sais pas pourquoi Thomas n'a pas voulu lui dire la vérité, mais étrangement, je m'en fiche un peu. Est-ce que ça voudrait enfin dire que je suis en train de passer à autre chose ? ;) Sérieusement, connaissant le caractère psychotique de sa blonde, il a sans doute voulu éviter une crise de nerfs ! Quoi qu'il en soit, je suis censée le voir vendredi. Comme mon dernier face-à-face a donné lieu à une scène de vomissure, j'espère seulement que celui-ci ne me fera pas saigner du nez, ou pire, ne me donnera pas de boutons !

Deuxièmement, j'ai eu ma note pour le travail d'anglais de la semaine dernière, et j'ai eu 86 % ! C'est la première fois depuis mon arrivée à Montréal que j'ai une aussi bonne note dans ce cours, et je capote ! Évidemment, je n'y serais jamais arrivée sans l'aide d'Olivier !

Ce qui m'amène à ma mauvaise nouvelle : je pense qu'Olivier a officiellement honte de moi. Je m'explique.

Lorsque la cloche annonçant le dîner a sonné, Maude s'est empressée de le rattraper et de passer son bras sous le sien. Ils se sont ensuite installés à une table de la cafétéria. Jeanne, Alex et moi étions assis tout près.

Jeanne : Si tu avais des fusils dans les yeux, Maude ferait dur en ce moment.

Moi (en les observant) : Elle me gosse de le coller comme ça ! Si elle savait qu'Olivier et moi nous sommes embrassés deux fois, elle comprendrait le message, non ?

Alex : Tu as embrassé Olivier ?

Moi : Tu ne savais pas ?

Jeanne (en souriant) : Léa, tu as maintenant la preuve que je suis discrète !

Moi (en me collant contre elle) : Merci !

Alex : Pourquoi tu l'as embrassé ?

Moi (en le regardant comme s'il venait de dire la plus grande bêtise de l'univers) : Ben parce qu'il m'intéresse, voyons !

Alex : Ouais, mais il me semble qu'il n'est pas *full* respectueux de se laisser coller par Maude. Pourquoi il ne vient pas te voir, si vous êtes ensemble ?

Jeanne a donné un coup de pied à Alex pour lui indiquer de se taire.

Alex : Aïe !

Moi : C'est correct, Jeanne. Alex a raison. C'est vrai que c'est bizarre. Mais à la défense d'Olivier, nous n'avons jamais déterminé que nous sortions ensemble. On s'est embrassé, mais sans plus...

Jeanne (en m'encourageant à me lever) : Ben justement ! Je pense qu'il est temps de montrer à Maude qu'il t'appartient et de demander des explications à Olivier ! Vas-y, Léa ! Fonce !

J'ai pris une profonde inspiration et je suis allée me planter à la gauche d'Olivier. J'ai tapoté son épaule et il s'est aussitôt tourné vers moi, un peu surpris, mais souriant.

Olivier : Salut !

Maude (en me regardant comme si j'étais une coquerelle) : Qu'est-ce que tu veux, toi ?

Moi : Je veux parler à Olivier, et j'aimerais ça que tu décolles.

Maude : Désolée, la tomate, mais j'étais là avant toi, et tu n'es pas invitée à notre table.

Moi (en plissant les yeux) : C'est correct. On va aller ailleurs. Je dois lui parler du journal, et comme tu le sais, tu ne fais pas partie du comité et tu n'as pas le droit d'entendre ce que j'ai à lui dire. Alors, bye, bye ! Ciao ! *Arrivederci* !

J'ai tiré un peu sur le bras gauche d'Olivier pour qu'il se lève, mais Maude a aussitôt répliqué en tirant de l'autre côté pour l'en empêcher.

Éloi (en apparaissant à côté de moi) : Les filles, un peu de calme ! Olivier a l'air d'une poupée de chiffon que vous vous arrachez !

Olivier (en se détachant de notre étreinte, aussitôt piqué dans son orgueil) : OK, c'est bon ! Lâchez-moi ! Maude, je reviens un peu plus tard. Léa, viens ! On va aller discuter.

Il s'est levé sous le regard dégoûté de Maude.

Comme il faisait beau à l'extérieur, Olivier m'a proposé de faire une balade. D'un côté, je trouvais ça romantique, mais d'un autre, j'étais un peu frustrée de ne pouvoir m'afficher avec lui devant Maude.

Nous avons marché côte à côte pendant quelques minutes, et dès que nous avons tourné le coin de rue (et que nous nous sommes retrouvés loin de tous les regards), il m'a attirée contre lui.

Moi (en détournant la tête pour éviter son baiser) : Qu'est-ce que tu fais ?

Lui : Ben, je t'embrasse !

Moi : Je ne venais pas ici pour t'embrasser ! Je voulais te parler...

Lui : Ah oui, c'est vrai. Tu voulais me parler du journal. Tout le monde m'a félicité pour mon article ! Je suis vraiment content ! J'espère que vous allez me garder dans l'équipe !

Moi : Oui, oui. Éloi et Éric sont satisfaits. En fait, je ne voulais pas vraiment te parler du journal. J'ai juste dit ça pour t'attirer loin de Maude.

Lui (en me regardant d'un drôle d'air) : Tu sais que quand on ne te connaît pas, tu as l'air d'un ange ? Je réalise qu'il ne faut pas se fier aux apparences...

Moi : J'étais un ange avant de connaître Maude...

Lui : Qu'est-ce que tu voulais me dire, alors ? Je t'écoute.

Moi (en m'asseyant sur un banc) : Premièrement, je voulais te remercier pour ton aide en anglais. J'ai eu une bonne note grâce à toi...

Lui (en s'asseyant près de moi) : Ça m'a fait plaisir. Tu m'aides pour le journal, je t'aide en anglais... Je trouve qu'on forme une bonne équipe.

Moi : Ouais... Justement, c'est de ça que je voulais aussi te parler.

Lui (en approchant son visage du mien) : De quoi ? De notre équipe ?

Moi (les mains moites) : Ouais... Ben disons que... des fois, je... je ne sais pas trop à quoi m'attendre de toi.

Olivier m'a embrassée sur les lèvres en guise de réponse (au moins il n'a pas utilisé sa langue). J'ai détourné la tête de nouveau.

Lui : Qu'est-ce qu'il y a ? Tu n'aimes pas ça quand je t'embrasse ?

Hum... Voici une question qui mériterait plusieurs réponses. J'ai opté pour la plus simple.

Moi : Oui... Mais des fois, je ne te suis pas vraiment quand on est à l'école.
Olivier : Tu ne me suis pas ? Mais c'est correct, non ? Il me semble que ce serait bizarre que tu me suives partout...
Moi : Non ! Je ne veux pas dire suivre dans le sens de pot de colle. Je veux dire suivre dans le sens de comprendre.

Olivier m'a regardée en écarquillant les yeux. Je savais que je l'avais perdu.

Moi (en souriant) : Pour résumer, des fois j'aimerais ça qu'on passe plus de temps ensemble à l'école.
Olivier : Ahhhh ! OK ! *Deal* !

J'ai souri et je me suis relevée en replaçant ma robe. J'avais une rencontre avec Éloi, Annie-Claude et Éric et je ne voulais pas être en retard.

On s'est mis à marcher vers l'école, et juste avant de tourner le coin, il m'a encore attirée vers lui pour m'embrasser. Quand j'ai senti sa langue, j'ai fait un effort pour essayer de freiner sa cadence, mais sans succès. Je n'ai pas dit mon dernier mot ! J'apprendrai à apprivoiser la torpille !

Après notre baiser, j'ai pris sa main pour qu'on puisse se pointer à l'école et montrer à tous (Maude) que nous formions un genre de couple, mais il l'a retirée de la mienne pour se gratter le bras juste au moment où nous arrivions dans la cour. Coïncidence ? Je ne suis pas certaine...

Une fois arrivé dans la cafétéria, Olivier s'est tourné vers moi.

Lui : J'ai promis à Maude que je mangerais avec elle et ses amis. Veux-tu m'accompagner ?
Moi : Me niaises-tu ?
Lui : Euh !, non. Je m'entends bien avec José et sa gang, et les filles sont gentilles avec moi. Tu devrais venir, Léa. Après tout, c'est toi qui m'as dit que tu voulais qu'on passe plus de temps ensemble.

C'est officiel. Il n'a rien compris.

Moi : C'est gentil, mais je pense que tu ne réalises pas que Maude et moi ne sommes pas les meilleures amies du monde. Je vais te laisser te joindre à eux. De toute façon, j'ai une rencontre avec l'équipe du journal.

J'ai jeté un regard derrière Olivier et j'ai vu Maude qui nous épiait. Il fallait absolument que j'en profite pour embrasser Olivier !

Lui : Bon... OK. On se voit plus tard ?

J'ai acquiescé et je me suis levée sur la pointe des pieds. J'ai ensuite posé une main sur son épaule droite, et j'ai attendu qu'il se penche vers moi pour m'embrasser, mais il s'est contenté de me dévisager. Plus les secondes passaient et plus je me sentais nouille.

Moi : Hum-Hum !

J'ai poussé l'audace un peu plus loin en tendant mes lèvres vers lui. Il avait l'air vraiment mal à l'aise. Il s'est finalement penché, et j'ai réussi à planter un petit baiser chaste sur sa joue, comme si nous n'étions que des amis.

J'ai soupiré et je suis allée rejoindre Éloi, Alex, Jeanne et Katherine à notre table.

Moi (en laissant tomber ma tête sur mes bras) : J'ai TELLEMENT honte !
Katherine : Je vous regardais et je trouve que ça fait dur, son affaire.
Éloi : Katherine a raison. C'était évident que tu attendais qu'il t'embrasse, alors pourquoi il ne l'a pas fait ?
Alex : Je te l'avais dit qu'il était louche, ce gars-là !

Jeanne : Il est peut-être juste pogné, ou alors il est mal à l'aise de te donner de l'affection en public...

Moi : Mais je vous jure qu'il n'est pas pogné. Dès que nous sommes seuls, il me *frenche* passionnément !

Alex (en toussotant) : Peut-être même TROP passionnément !

J'ai jeté un regard noir en direction de Jeanne.

Moi : Je pensais que tu étais discrète !

Elle : Je le suis ! Mais comme tu as déjà avoué à tout le monde que vous vous étiez embrassés, je me suis dit que ça ne te gênerait pas que je raconte les détails...

Éloi (en se levant) : Allez, mademoiselle Torpille ! Il faut aller rejoindre Éric et Annie-Claude pour discuter du prochain numéro !

Alex : Si tu veux, Léa, tu pourrais écrire un texte sur les différentes techniques de *frenchs* !

Je lui ai fait une grimace et les autres ont éclaté de rire. J'ai suivi Éloi en réfléchissant à tout ce qui venait de se passer. Même mes amis, qui ont été témoins de la scène, me confirment que quelque chose cloche avec Olivier ! Qu'est-ce que je suis censée faire, Lou ? C'est *full* gênant de lui en parler !

J'attends de tes nouvelles !
Léa xox

À : Léa_jaime@mail.com
De : Marilou33@mail.com
Date : Mardi 30 septembre, 12 h 21
Objet : S'il ne t'aime pas, c'est qu'il ne te mérite pas !

Coucou !
Comme Christian et moi devons faire imprimer notre travail de français dans le local d'info, j'en profite pour t'écrire rapidement mon opinion : si ce gars-là n'ose pas se coller à toi, c'est qu'il ne mérite pas ! ;)

Pour ce qui est de mes conseils de grande sage, je crois que si tu veux que ça change, il vaudrait mieux que tu gardes tes distances avec lui. Tu connais les gars : c'est en jouant à l'indépendante qu'il réalisera à quel point tu es extraordinaire et qu'il se mettra à te torpiller le visage en public ! Mouahaha !

Je dois filer, car Christian s'impatiente !
Lou xox

P.-S. : Grâce à lui et Marie-Pier, je commence peu à peu à aimer ma classe. Je ne me sens plus aussi rejet qu'il y a un mois et je pense même que les *nerds* commencent à me respecter !

Mercredi 1ᵉʳ octobre

Félix (en ligne): Heille! Il paraît qu'Olivier est ton nouveau chum?

Léa (en ligne): QUOI? Non! Où est-ce que tu as entendu ça? Tu ne vas même plus à la même école que moi! Je ne peux pas croire que les potins se rendent quand même jusqu'à toi!

Félix (en ligne): Je ne vais plus à la même école, mais je suis encore ami avec Éloi...

Léa (en ligne): Alors, c'est lui, le traître?! Pour répondre à ta question, il n'est pas mon «chum». Disons que... je ne sais pas trop quel est notre statut. D'ailleurs, sens-toi libre de m'aider!

18 h 24

Félix (en ligne): C'est quoi, l'affaire? Il t'embrasse une fois de temps en temps, mais il ne te tient pas par la main entre les cours et vous n'êtes pas « en relation » sur Facebook?

18 h 25

Léa (en ligne): Comment as-tu fait pour deviner?

18 h 26

Félix (en ligne): Parce que c'est exactement ma méthode!

18 h 27

Léa (en ligne): Non!! Ne te compare pas à Olivier, s'il te plaît! Ça me décourage! Ça voudrait dire qu'Alex a raison et que je fais affaire à un *player*!

18 h 28

Félix (en ligne): Mais non! Ça veut simplement dire qu'il a du *fun* avec toi, mais qu'il ne veut rien de sérieux.

18 h 28

Léa (en ligne): Ça, c'est une façon polie de dire qu'il est *player*!

18 h 29

Félix (en ligne): Si tu veux lui mettre la main dessus, il faut que tu aies l'air de la fille détachée qui ne s'en fait pas avec ça.

18 h 30

Léa (en ligne): Ouais, mais Maude lui tourne autour comme une louve! Je ne peux pas me permettre d'être relaxe et décontractée!

18 h 31

Félix (en ligne): Eh bien, moi, je te dis que si tu agis comme une névrosée, ça n'aidera pas ton cas.

18 h 32

Léa (en ligne): Bon... Je vais réfléchir à ton conseil. Pour l'instant, j'ai d'autres chats à fouetter.

18 h 32

Félix (en ligne): Quoi, ça? Tu t'es cassé un ongle?

Léa (en ligne): Non, niaiseux! Mais Thomas sera en ville vendredi, et je suis censée le revoir. Ça me stresse, et je ne sais pas trop quoi faire avec lui.

18 h 33

Félix (en ligne): Thomas a presque mon âge. Pourquoi tu ne l'invites à se joindre à moi et mes amis?

18 h 34

Léa (en ligne): Oh, c'est une bonne idée, ça! Mais, euh! Est-ce que je suis incluse dans l'activité?

18 h 35

Félix (en ligne): Ça dépend. Il faut d'abord que tu me promettes de ne pas me faire honte.

18 h 35

Léa (en ligne): Comment pourrais-je te faire honte?

Félix (en ligne): En prenant une voix stridente et en commençant à hurler: «*OH MY GOD*, Félix! Ton nouvel ami du cégep ressemble TELLEMENT à Harry, de One Direction!!»

18 h 37

Léa (en ligne): Pfff. C'est arrivé UNE fois, et je n'ai pas crié si fort que ça.

18 h 38

Félix (en ligne): Promets-moi.

18 h 39

Léa (en ligne): Promis, juré!

18 h 40

Félix (en ligne): Cool.

18 h 41

Léa (en ligne): Et qu'est-ce qu'on va faire?

18 h 41

Félix (en ligne): On verra vendredi. Au cégep, on aime bien improviser.

18 h 42

Léa (en ligne): Vous êtes tellement *carpe diem*. Comment puis-je faire pour être cool comme vous?

18 h 43

Félix (en ligne): Je ne sais pas, mais si tu continues comme ça, Thomas sortira seul avec nous.

18 h 43

Léa (en ligne): OK, OK! Vous êtes cool pour vrai, alors! ☺ Heille, je pense que maman crie pour qu'on aille souper.

18 h 44

Félix (en ligne): Qu'est-ce qu'on mange? Me semble que ça pue.

18 h 45

Léa (en ligne): C'est normal; c'est papa qui a cuisiné!

18 h 46

Félix (en ligne) : Oh, non ! Ça veut sûrement dire qu'on est pognés pour manger sa spécialité...

18 h 46

Léa (en ligne) : Du poisson blanc dans une sauce brune pas claire ?

18 h 47

Félix (en ligne) : Exact !

18 h 47

Léa (en ligne) : Ouach ! Le pire, c'est qu'il va falloir que je fasse semblant d'aimer ça...

18 h 48

Félix (en ligne) : Comment ça ?

18 h 48

Léa (en ligne) : Car je dois être *full* fine avec lui si je veux avoir la permission de visiter Marilou la semaine prochaine.

Félix (en ligne): Bonne chance pour ne pas grimacer en mangeant ton poisson qui pue! Bon, je descends avant que maman fasse une syncope!

À : Léa_jaime@mail.com
De : Thomasrapa@mail.com
Date : Jeudi 2 octobre, 18 h 22
Objet : Demain

Salut !
C'est fou de penser que demain je pourrai te voir ! Ça va faire du bien de pouvoir te parler face à face ! J'ai une rencontre avec mon oncle chez son fournisseur à 15 h, et je pensais aller souper avec lui après. Je pourrais te rejoindre quelque part vers 20 h, si c'est correct avec toi ?

J'attends tes nouvelles pour les détails. J'ai hâte de te voir !
Thomas

À : Thomasrapa@mail.com
De : Léa_jaime@mail.com
Date : Jeudi 2 octobre, 20 h 23
Objet : Re : Demain

Coucou !
C'est vrai que c'est bizarre de penser qu'après autant de mois on pourra discuter ensemble. Ironiquement, j'ai réalisé que ça faisait presque un an que nous avions cassé. Je pense que ça correspond au temps recommandé par l'association des cœurs brisés ! ☺

Pour demain, Félix nous proposait de sortir avec lui et ses amis. Comme ma vie est beaucoup moins trépidante que la sienne, je pense que c'est une option assez cool !

Le plus simple, comme tu as déjà mon adresse, c'est de venir me rejoindre chez moi à 20 h, et de là, on verra ce qu'on fait !

À demain,
Léa

À : Marilou33@mail.com
De : Léa_jaime@mail.com
Date : Samedi 4 octobre, 9 h 27
Objet : Le retour de Thomas

Salut, Lou.
Je sais qu'il est tôt pour t'écrire, mais tu comprendras que je suis impatiente de te raconter ma soirée avec Thomas. Laisse-moi d'abord te faire un résumé de ma journée d'hier.

Comme tu le sais, j'ai passé la semaine à suivre ton conseil (être indépendante avec Olivier), et je crois que ç'a porté ses fruits, puisqu'il m'a demandé à trois reprises si j'avais envie d'aller faire une balade (c'est à dire s'embrasser en cachette). J'ai refusé toutes ses invitations, comme j'avais déjà des plans et que je ne voulais pas avoir de la fille qui dit oui dès que monsieur lève le petit doigt. Évidemment, Maude a profité de mon attitude plus distante pour se coller à lui comme une sangsue, mais Olivier n'a pas eu l'air de vouloir embarquer dans son petit jeu.

Hier midi, alors que je venais de lui dire que je ne pouvais me rendre au parc, parce que j'avais promis à Jeanne et Katherine de dîner avec elles, Maude est apparue de nulle part pour tenter de l'attirer dans sa gang.

Maude (en battant des cils): Comme Léna ne peut manger avec toi, je t'offre de te joindre à ma table, Olivier! Sophie, Marianne et Lydia ont vraiment envie de mieux te connaître!

Moi (en me remémorant l'une des répliques de mon frère): Je ne crois pas qu'Olivier ait envie de passer son dîner à jaser de manucure, Claude.

Maude: Arrête de m'appeler Claude.

Moi: Arrête de m'appeler Léna.

Olivier: C'est gentil, Maude, mais je vais vous laisser dîner entre filles. Je vais plutôt aller rejoindre l'équipe de basket au gymnase. J'ai le goût de bouger.

Il est parti en nous faisant un petit signe de la main.

Moi (en souriant): C'est drôle, non? Il m'offre d'aller dîner, mais il refuse carrément de se joindre à toi.

Maude : Il n'avait simplement pas envie de se ramasser avec une gang de filles. Ça ne veut pas dire qu'il n'aurait pas dit oui si on avait été seuls.

Moi : Il t'a quand même dit non ! Je me demande ce que ça veut dire... Je parie que tu ne l'intéresses pas tant que ça !

Maude (en plissant les yeux) : Et moi, je suis prête à parier qu'il préfère une belle fille comme moi plutôt qu'une naine au visage de tomate.

C'en était trop. J'étais sérieusement en train de considérer de lui sauter au cou quand Éloi est venu s'interposer entre nous.

Éloi : Alors, les filles ? Encore en train de vous complimenter ? Désolé d'interrompre votre moment d'amitié, mais je dois parler à Léa à propos de son texte sur la rivalité...

Maude : Parlant de ça, je l'ai trouvé nul, ton texte.

Moi : Moi, c'est toi que je trouve nulle.

Éloi m'a tirée par le bras et m'a entraînée jusqu'au local du journal. Je bouillais à l'intérieur.

Moi (en m'asseyant en face de lui) : Quoi ? Qu'est-ce qu'il a, mon article ? Ne me dis pas que tu es d'accord avec la nunuche ?

Éloi : Non. Je l'ai bien aimé. Je voulais simplement t'emmener loin d'elle avant que tu sautes ta coche.

J'ai pris une grande inspiration et je me suis calmée. Éloi avait raison. Il ne fallait pas que je laisse Maude me faire péter un plomb! J'ai texté à Katherine et Jeanne pour qu'elles viennent nous rejoindre et nous avons dîné tous les quatre dans le local.

Katherine en a profité pour nous annoncer qu'elle avait finalement parlé à Mike hier soir, et qu'il n'avait pas démenti. Il a même osé lui dire qu'il n'avait pas compris qu'ils étaient dans une relation « exclusive » ! ! Comment les gars peuvent-ils être aussi cruches ?

Katherine lui a raccroché au nez et elle nous a dit qu'elle voulait mettre une croix sur les gars pendant un certain temps. La bonne nouvelle, c'est qu'elle est tellement en colère que ça lui évite d'avoir trop de peine.

Pour ce qui est de Jeanne, l'équilibre semble être de retour dans son couple, et elle m'a dit qu'Alex était beaucoup plus démonstratif avec elle et qu'ils étaient aussi moins gênés de se coller à l'école (contrairement à quelqu'un que je connais). Du côté d'Éloi, tout va aussi pour le mieux entre lui et Caroline. Nous lui avons fait promettre d'organiser une activité bientôt pour qu'on puisse apprendre à mieux la connaître (on s'entend que lors du party de Félix, je n'avais pas trop la tête à socialiser).

Le reste de la journée s'est déroulé sans trop d'anicroches, et mon altercation avec Maude a au moins eu pour effet de me faire oublier Thomas. Quand je suis rentrée chez moi, j'étais donc étrangement calme. Comme tu étais à ton entraînement, je n'ai pas pu te consulter pour mon choix vestimentaire, mais j'avais opté pour mon jean gris et un chandail rouge que j'ai acheté avec ma mère la semaine dernière (j'ai lu dans une revue que le rouge était LA couleur des blondes).

Avant de me préparer, j'ai soupé avec mes parents, qui m'ont bombardée de questions à propos de Thomas.

Ma mère (d'un air inquiet) : Es-tu certaine que ce soit une bonne idée de revoir Thomas ? Tu as tellement eu de peine l'année dernière...

Moi : Oui, mais c'est fini maintenant. Je n'ai plus de peine.

Mon père (d'un air fâché) : Moi, je n'ai pas envie de voir l'énergumène qui a fait de la peine à ma fille.

Moi : Je comprends, papa, mais c'était plus simple qu'il me rejoigne ici. Ne sois pas trop dur avec lui, OK ?

Mon père (sans porter attention à ce que je lui avais dit) : Je ne veux surtout pas qu'il t'attire d'autres ennuis, ni qu'il se colle sur toi. C'est pour ça que j'ai demandé à Félix de vous surveiller !

Moi (indignée) : QUOI ? Tu as demandé à Félix de jouer au chaperon ?

Mon père : Non. J'ai demandé à Félix de s'assurer que ton Thomas se tient loin de toi.

Moi : Alors c'est pour ça qu'il nous a offert de passer la soirée avec lui et ses amis ? Il me semblait, aussi, que ce n'était pas son genre d'être aussi gentil ! Il le fait juste parce que tu lui as demandé ! Je parie même que tu le payes pour ça !

Mon père : Franchement ! Je ne ferais jamais ça.

Je me suis tournée vers ma mère, qui était concentrée à couper son steak.

Moi : Maman ?

Ma mère : Hum ?

Moi : Pourquoi vous ne me faites pas confiance ?

Ma mère : Demande à ton père !

Moi : Papa ?

Mon père : Ce n'est pas qu'on ne te fait pas confiance ; c'est juste qu'on sait que parfois tu peux manquer de jugement quand il est question de Thomas.

J'allais répliquer quand Félix est arrivé.

Félix : Désolé pour le retard. Je devais «finir un devoir».

Il a dit ça en me faisant un clin d'œil.

Moi : Depuis quand tu fais tes devoirs un vendredi soir, espèce de traître ?

Félix : T'es ben agressive. Qu'est-ce que je t'ai fait ?

Moi : Papa m'a avoué qu'il t'avait soudoyé pour que tu passes la soirée avec Thomas et moi. Je sais maintenant que ce n'était pas de gaieté de cœur.

Félix (sans broncher) : Et ?

Moi : Et c'est poche que tout le monde me mente ! Je ne sais pas pourquoi vous pensez que j'ai besoin de surveillance, mais je suis capable de gérer seule ma rencontre avec Thomas !

Mes parents et Félix ont éclaté de rire.

Moi : QUOI ?

Ma mère s'apprêtait à me répondre quand quelqu'un a sonné à la porte.

Félix : On dirait que ton ex est déjà arrivé !

Moi (en me levant d'un bond, soudain hystérique) : Hein ? Mais il est juste 19 h ! Je ne suis pas prête du tout !

J'ai filé dans ma chambre pour me changer et me maquiller en vitesse, puis je suis redescendue en adoptant un air relaxe et faussement détaché.

Moi (en marchant vers la salle à manger et en adoptant une voix mature) : Quelqu'un a sonné à la porte ?

J'ai alors réalisé que mes parents et Félix n'avaient pas bougé d'un poil, et que Thomas n'était pas là.

Moi : Où est Thomas ?
Félix (en m'imitant) : Quelqu'un a sonné à la porte ?
Moi (en haussant le ton) : Tais-toi et dis-moi où il est !
Félix : Je ne sais pas, moi !
Moi : Mais qui a sonné à la porte ?
Ma mère : Un vendeur de chocolat.

Je me suis laissée choir sur une chaise et j'ai poussé un soupir.

Moi : Merde. Je me suis grouillée pour rien.
Félix : Tu aurais dû te voir ! « OH ! Je ne suis pas prête ! Mes ongles ne sont pas parfaits ! »
Moi : Rapport ! Je n'ai pas réagi comme ça !
Ma mère (en s'efforçant d'être gentille) : Félix exagère, ma chérie, mais on voit bien que ça te rend nerveuse de revoir Thomas...
Mon père (un peu moins gentiment) : Et c'est pour cette raison que je veux que Félix garde un œil sur lui.
Moi : C'est n'importe quoi ! Je ne suis pas du tout nerveuse !

Quelqu'un a de nouveau sonné à la porte, ce qui m'a fait sauter sur mon siège.

Moi (en hurlant, le cœur battant à tout rompre) : *OH MY GOD* ! Il est là !

Mes parents sont allés ouvrir et Félix en a profité pour me tendre deux petites cartes d'identité.

Félix (en chuchotant) : Tiens, une pour toi, et une pour Thomas. C'était ça, « mes devoirs » !
Moi : Ouh ! Merci ! J'aime ça avoir un frère rebelle !
Félix : Rapport !

Mes parents sont réapparus et je me suis empressée de mettre mes fausses cartes dans la poche de mon jean.

Moi : Et Thomas ?
Mon père : C'était un témoin de Jéhovah.
Moi : Décidément, le monde est contre moi, ce soir !

J'ai aidé mes parents à débarrasser la table, et à 20 h tapantes, la sonnette de la porte a de nouveau retenti. Cette fois-là, je savais qu'il s'agissait de Thomas.

Moi : J'y vais.

J'ai ouvert la porte et mon ex s'est matérialisé devant moi. J'ai attendu, mais à ma grande surprise, mon cœur ne s'est pas trop emballé.

J'ai remarqué que ses cheveux avaient poussé et que des poils de barbe commençaient à faire leur apparition sur ses joues. Il était toujours aussi beau, mais c'est comme si le déclic amoureux ne s'effectuait pas dans mon cœur.

Il s'est avancé vers moi et il m'a embrassée sur une joue.

Moi : Salut ! Bienvenue chez nous.
Lui (d'un air hyper nerveux) : Salut !

Thomas est entré, et ma mère s'est empressée de le saluer. Mon père a marmonné un « bonsoir », puis il est allé s'asseoir devant le hockey.

J'ai fait faire une visite rapide de la maison à Thomas, puis Félix nous a dit qu'il était temps de partir, car on devait rejoindre ses amis sous peu.

Mon père (en nous rejoignant près de la porte) : Félix, je veux que Léa soit de retour à minuit.
Moi (en chuchotant) : Papa, arrête de me prendre pour un bébé.

Mon père (en fronçant les sourcils) : Tu seras toujours mon bébé, et je veux que tu sois rentrée à minuit précis.

Thomas : Ne vous en faites pas, monsieur Olivier. Je vais m'assurer qu'elle sera à l'heure.

Mon père : C'est gentil, Thomas, mais c'est à mon fils que je donne cette responsabilité.

J'avais chaud et j'étais de plus en plus mal à l'aise.

Moi : Ouais, bon. J'ai compris. Je serai ici à minuit. À tantôt.

Mon père (froidement) : Soyez sages.

Félix nous a alors conduits chez l'un de ses amis qui n'habite pas très loin de la maison. Dans la voiture, Thomas et lui ont discuté de tout et de rien tandis que j'observais le paysage.

Quand nous sommes arrivés chez l'ami de Félix, le salon était déjà bondé d'adolescents qui buvaient de la bière.

Moi : Pourquoi tu m'as filé une fausse carte si on ne sort pas dans un bar ?

Félix : On va sortir, mais on se réchauffe ici avant.

Je me suis installée avec Thomas dans un coin et il s'est mis à me raconter des choses à propos de son oncle et du garage, mais j'avoue que je n'étais pas *full* attentive à ce qu'il racontait.

J'étais trop occupée à l'observer. Il avait le regard toujours aussi sombre et mystérieux, mais c'est comme si sa présence ne me faisait plus le même effet. C'est bizarre, non ? Ça voudrait donc dire que le temps arrange vraiment les choses ?

Au bout d'un moment, Félix est venu nous annoncer qu'il était temps d'aller au bar. Nous avons marché pendant une dizaine de minutes, puis nous avons fait la file à l'extérieur de *La Maisonnette*.

Moi : Félix, pourquoi on attend ?
Félix : Parce que les gens font la file pour entrer.
Moi : Alors pourquoi on ne va pas ailleurs ?
Félix : Parce que l'endroit est cool et qu'il y a une file.
Moi : Hein ?
Félix : S'il y a une file à l'extérieur d'un bar, ça veut dire que c'est cool.
Moi : C'est pas un peu bizarre comme raisonnement ?
Félix (en chuchotant) : Tais-toi ! Le *bouncer* va te prendre pour un bébé. As-tu ta carte ?

J'ai fouillé dans mes poches et j'ai trouvé la carte de Thomas, mais pas la mienne.

Moi : Merde ! J'ai perdu la mienne.

Félix : T'es ben niaiseuse ! Tu ne pourras jamais rentrer sans carte !

Moi : Ben là ! Je peux passer pour dix-huit ans !

Thomas et Félix ont éclaté de rire. J'ai voulu répliquer, mais la file a avancé d'un coup et nous nous sommes aussitôt retrouvés devant le videur.

Le videur : Vos cartes, s'il vous plaît.

Thomas, Félix et ses amis lui ont tendu leurs cartes, puis ils sont entrés dans le bar.

Le videur : Et toi ? Elle est où, ta carte ?

J'ai aperçu Thomas et Félix qui m'attendaient dans le cadre de la porte.

Moi : Euh !, j'ai oublié mes cartes chez moi.

Le videur : Quelle est ta date de naissance ?

Oh, il fallait que je fasse un calcul rapide ! En quelle année étais-je née pour avoir dix-huit ans ?

Moi : Euh ! Le 13 avril 19...

Le videur : Tu ne connais pas ton année de naissance ?

Moi : Ben c'est rare qu'on me le demande.

Le videur : Désolé, ma belle, mais ça se voit tout de suite que tu n'as pas dix-huit ans.

Moi (d'un air faussement offusqué): Quoi? Comment ça? Quel âge vous me donnez?
Le videur: Treize, quatorze?

J'ai entendu Félix qui s'esclaffait derrière lui.

Moi (en m'efforçant de garder mon calme): Non, monsieur. J'ai dix-huit ans. Mais c'est gentil de me complimenter et de me dire que je ne fais pas mon âge. Ce doit être à cause de ma crème hydratante.
Le videur (en plissant les yeux): Es-tu une fugueuse?
Moi: Non! Je suis venue avec mon grand frère!
Le videur: Et il a quel âge, ton grand frère?
Moi: Dix-huit ans!

Oups. ÉPAISSE!

Le videur: Comme ton grand frère a l'âge limite pour entrer ici, ça me confirme que ce n'est pas le cas pour toi.
Moi (en perdant peu à peu mon orgueil): Mais monsieur! S'IL VOUS PLAÎT! Tous mes amis sont à l'intérieur!
Le videur: Ça, c'est parce qu'ils ont une carte qui prouve leur âge. Désolé, ma petite.
Moi (en montant le ton): Je ne suis pas petite.
Le videur: Alors désolé, ma grande. Là, il va falloir que tu te tasses pour que je laisse entrer les autres, OK?
Moi: Et si je t'achetais des biscuits?

Le videur : Hein ?

Moi : Si je t'achetais des biscuits et un chocolat chaud au café d'en face, est-ce que tu me laisserais rejoindre mes amis ?

Le videur : Pour ça, il faudrait que tu me jures de ne pas consommer d'alcool.

Moi : Je vous le jure. Je n'aime pas l'alcool. Ça me fait dire des niaiseries.

Le videur : Ça ne doit pas être beau à voir...

Moi : Bon. C'est oui ou c'est non ?

Le videur m'a fait un petit signe de la tête, et je me suis dépêchée d'aller lui acheter un chocolat chaud et deux biscuits. Il m'a remerciée et m'a laissée entrer en me faisant un clin d'œil. Thomas, mon frère et ses amis m'ont accueillie en applaudissant.

Thomas : Je suis impressionné, Léa ! Je vois que tu as gagné de l'assurance depuis que tu habites ici !

Moi (d'un air faussement détaché) : Pfff. À peine.

Félix : Bravo, la sœur. Une vraie Olivier !

Comme le bar sentait la bière, que je n'avais pas le droit (ni l'envie) de boire et que c'était trop bruyant pour entamer une discussion, j'ai proposé à Thomas de jouer au billard. J'ai remporté les deux parties, et je commençais sérieusement à sentir que j'avais le vent dans les voiles.

Je ne ressentais pas de palpitations cardiaques, même si j'étais avec l'ex qui m'avait brisé le cœur et que j'avais aimé passionnément.

J'avais réussi à acheter la complicité du videur et à entrer dans un bar sans carte d'identité.

Les amis de mon frère étaient impressionnés.

Je gagnais au billard, alors que j'avais l'habitude d'être nulle !

Au bout d'un moment, Thomas m'a fait remarquer qu'il était presque minuit et qu'il fallait rentrer.

Thomas : Déjà que ton père ne me porte pas dans son cœur, je ne veux pas en rajouter !

Je suis allée trouver Félix, qui a annoncé à ses amis qu'il devait me ramener à la maison, mais qu'il reviendrait sous peu. J'ai mis mon manteau et je suis retournée voir Thomas.

Moi : Tu peux rester, si tu veux.

Lui : Non, c'est bon. Je vais prendre un taxi. Je dois me lever tôt demain matin, car on reprend la route à 8 h.

Moi : OK. C'était cool de te revoir.

Lui : Vraiment. Et j'ai cru comprendre que tu viendrais nous visiter la semaine prochaine ?

Moi : Les nouvelles vont vite !

Lui (du tac au tac) : Je m'arrange toujours pour obtenir des nouvelles de toi.

Moi : Je ne crois pas que Sarah serait contente d'entendre ça.

Thomas est devenu blême. C'est la première fois de la soirée qu'on faisait allusion à sa blonde.

Lui : Écoute, Léa... Je sais que je n'ai pas toujours bien agi avec toi, et je sais que tu sais que j'ai une blonde, mais tout est vraiment confus dans ma tête.

Moi : Tu n'as pas à t'en faire, Thomas. Ça fait longtemps qu'on n'est plus ensemble, et j'ai eu le temps de m'en remettre.

Il m'a regardée d'un drôle d'air. C'est comme s'il réalisait que j'étais peut-être vraiment passée à autre chose.

Lui : En passant, les parents de Seb ne sont pas là la fin de semaine prochaine, et il en profite pour faire un party. Est-ce que ça te tente de venir ?

Moi : Oui et non. Oui pour voir tout le monde, et non parce que je n'ai pas vraiment envie de me taper les regards meurtriers de ta blonde et de ses amies...

Lui : Sarah sera à New York.

Moi : Bon, alors si Marilou est partante, nous irons faire un tour.

Lui : J'aimerais vraiment ça. On n'a presque pas eu le temps de parler, ce soir.

Félix est alors venu nous interrompre.

Félix : Vite, Léa. Sinon, je vais me faire assassiner par les parents.

J'ai embrassé Thomas sur les joues.

Lui (en me tenant la taille et en me soufflant à l'oreille) : À la semaine prochaine. Je vais compter les jours.

J'ai souri et j'ai suivi mon frère à l'extérieur. Quand je suis arrivée chez moi (à minuit moins deux), mes parents m'attendaient au salon. Je leur ai souhaité bonne nuit et je suis montée à ma chambre. Ma mère est venue frapper à ma porte deux minutes plus tard.

Ma mère : Alors, ta soirée ?
Moi : C'était cool.
Ma mère : Et Thomas ?
Moi : Vous n'avez pas de soucis à vous faire, maman...
Ma mère : Qu'est-ce que tu veux dire par là ?
Moi : Je ne pensais jamais dire ça, mais je crois que c'est vraiment fini entre lui et moi. Je ne ressens plus de papillons quand je le vois.
Ma mère : C'est tant mieux, Léa. Thomas habite loin, et ça ne vous aurait menés à rien.

J'ai souri à ma mère et je me suis mise au lit. Je commençais à sombrer dans le sommeil quand j'ai senti qu'elle posait un baiser sur mon front.

Ma mère (en chuchotant): Et tu ne mérites rien de moins que des papillons, ma chérie.

Ensuite, j'ai dormi comme un bébé et je viens tout juste de me réveiller! J'espère que tu as apprécié ma longue narration et que tu es fière de ta meilleure amie qui a enfin réussi à oublier son ex! Ceci dit, je serais contente d'aller au party chez Seb, la fin de semaine prochaine, si jamais ça te tente!

Je te laisse, mais réponds-moi vite!
Léa xx

À: Léa_jaime@mail.com
De: Olioli@mail.com
Date: Dimanche 5 octobre, 18 h 27
Objet: Jolie Léa

Salut, Léa!
Décidément, j'ai des problèmes pour te joindre! J'ai appelé chez toi hier pour te proposer de faire une balade, mais ta mère m'a dit que tu étais partie magasiner avec Jeanne, et comme je n'ai pas ton numéro de cellulaire, j'essaie par courriel!

J'espère que tu as passé une belle fin de semaine! De mon côté, je suis allé visiter de vieux amis, et j'ai décidé de peinturer ma chambre. Bref, rien d'excitant!

Je m'ennuie de toi! Est-ce qu'on peut se voir demain, après l'école? Je pourrais te donner un coup de main en anglais, et en échange, tu pourrais simplement m'aider à être heureux en m'honorant de ta présence!

À demain!
Olivier xxxx (et encore plus que je te donnerai en vrai)

P.-S.: Je pense qu'il est temps que j'obtienne ton numéro de cell.

Chapitre 5 :
Pet de cerveau

À : Léa_jaime@mail.com
De : Marilou33@mail.com
Date : Lundi 6 octobre, 19 h 22
Objet : Plus que quatre jours !

Coucou !
Je sais que je te l'ai dit environ trente fois hier sur Skype, mais je suis TELLEMENT fière de toi. J'imagine la tête de Thomas quand il s'est rendu compte que tu étais immunisée contre ses charmes.

D'ailleurs, je l'ai croisé aujourd'hui à l'école, et il m'a envoyé un clin d'œil ! Euh ! Allo ? Tu sais très bien que je ne te porte pas dans mon cœur, alors pourquoi tu fais semblant qu'on est de grands complices ? J'ai aussi aperçu Sarah-la-cruche qui jasait avec Géraldine-chose-bine et Odile-la-nouille. Évidemment, elles ne se sont pas gênées pour me dévisager. La bonne nouvelle, c'est que JP m'a annoncé qu'elles partaient toutes les trois à New York la fin de semaine prochaine avec la mère de Sarah (un genre de voyage pour mieux faire passer la pilule du divorce), ce qui veut dire qu'on ne les aura pas dans les pattes lors du party de Seb, samedi soir.

J'ai tellement hâte que tu arrives ! ! ! Je t'attendrai à 18 h au terminus. Les plans pour samedi : rien faire et aller au party. Dimanche : tu peux gosser pendant mon entraînement, et ensuite, on se fait une soirée de filles !

Je réfléchissais à ça, et avoue que la vie est bizarrement faite. Tu as passé des mois à te sentir triste et seule, et voilà que du jour au lendemain ton ex te court après et que ton *kick* veut te voir après l'école. D'ailleurs, comment ça s'est passé avec Olivier ? Est-ce qu'il t'a enfin embrassée devant tout le monde ? Sinon, est-ce que tu lui as demandé des explications ? Est-ce qu'il *frenche* encore comme une torpille ?

Écris-moi dès que tu peux ! !
Lou xox

À : Marilou33@mail.com
De : Léa_jaime@mail.com
Date : Mardi 7 octobre, 22 h 22
Objet : Un petit pas pour l'homme, mais un grand pas pour Olivier !

Coucou !
Désolée de t'écrire si tard ! Je voulais te faire un résumé plus tôt, mais j'ai un gros examen de maths demain et j'ai mis toute la soirée à essayer de comprendre. Félix a même dû s'asseoir avec moi pour m'expliquer, parce que j'étais au bord du désespoir.

Comme je sens que mon cerveau va surchauffer, je prends une pause de sinus et de cosinus pour t'écrire.

Toute la matinée d'hier, j'ai continué à adopter une attitude désinvolte avec Olivier, puis à l'heure du lunch, il est venu me voir à ma table.

Lui : Alors, ça marche pour ce soir ?
Moi : Ouais, mais je n'ai pas beaucoup de temps, car je dois commencer à étudier pour l'exam de maths.
Lui : Si tu veux, on peut étudier ensemble et laisser tomber l'anglais pour l'instant.
Moi : OK. À tantôt !

Quand les cours ont fini, je me suis retrouvée coincée à mon casier en même temps qu'Olivier et Maude (on se rappelle que nous sommes tous voisins... Misère !), et celle-ci s'est mise à roucouler comme une poule.

Maude : Coucourou ! Oli !! T'es tellement drôle quand tu veux ! Coucourou !
Olivier : Ah oui ? Pourquoi ?
Maude (en parlant fort pour s'assurer que j'entendais bien) : Ben là ! Tu as fait un petit tag sur mon cartable quand tu étais chez moi vendredi, et je m'en suis juste rendu compte aujourd'hui pendant le cours de sciences ! Coucourou !

Olivier est allé chez Maude vendredi? C'est quoi, l'affaire? Il la voit aussi en cachette? Pourquoi il ne m'a pas dit ça dans son courriel? Qu'est-ce qu'il cache?

Olivier (en jetant un petit regard vers moi): Ouais, excuse-moi. Le film était un peu plate, alors je me suis occupé autrement.
Maude: Ce n'est pas de ma faute! C'est Lydia qui a voulu louer ça.

Me voilà rassurée. Lydia était là pour les chaperonner. Mais quand même! Je trouve ça bizarre.

Maude: As-tu envie d'aller te balader? C'est l'été indien! Il faut en profiter!

Vraiment? Elle va utiliser l'été indien comme prétexte?

Olivier: C'est gentil, mais j'ai déjà promis à Léa qu'on réviserait nos maths ensemble.

J'ai reculé d'un pas pour être bien certaine que Maude voie mon sourire satisfait, puis je me suis empressée d'intervenir avant qu'elle ne s'invite à étudier avec nous.

Moi: Oui. C'est une séance d'étude très exclusive, car j'ai besoin de concentration. D'ailleurs, on doit y aller si on veut avoir le temps de tout réviser. Bye, Maude!

J'ai tourné les talons et je me suis dirigée vers la sortie de l'école, suivie de près par Olivier.

Moi : On va où ?
Olivier : On pourrait aller chez moi, mais j'habite loin.
Moi : Et si on va chez moi, Félix va m'embêter jusqu'à Noël. Le café ?
Olivier : Dac !

On s'est rendus dans notre petit café habituel et je me suis commandé un chocolat chaud. J'ai souri en me remémorant l'épisode de la fin de semaine où j'avais offert la même boisson au videur du bar.

Olivier (en s'asseyant devant moi) : Pourquoi tu souris comme ça ?
Moi : C'est une longue histoire. Disons que le chocolat chaud m'a aidée en fin de semaine.
Olivier : Tu piques ma curiosité !
Moi (en souriant pour avoir l'air de la fille mystérieuse-qui-a-plein-de-secrets) : On commence à étudier ?
Olivier : Avant, j'ai une question.
Moi : Vas-y.
Olivier : Pourquoi t'es distante avec moi depuis une semaine ?
Moi (prise au dépourvu) : Hein ? Je ne vois pas de quoi tu parles...
Olivier : Voyons, Léa ! La semaine dernière tu m'as dit que tu aimerais passer plus de temps avec moi à l'école,

et depuis ce temps-là, tu me fuis chaque fois que je m'approche de toi ! Je ne comprends pas ce qui t'arrive.

J'avoue que je ne m'attendais pas à être confrontée à mon nouveau comportement ! Après tout, c'est moi qui voulais des explications pour comprendre pourquoi il refusait de me coller devant les autres.

Moi : Euh ! Je ne sais pas trop quoi dire.
Olivier : Est-ce que tu es fâchée contre moi ?

Moi qui croyais que mon attitude nonchalante aurait un effet enivrant sur lui.

Moi : Non, je ne suis pas « fâchée ».

J'ai dit ça en faisant des signes de guillemets avec les doigts.

Olivier : Dis-moi ce qui se passe, alors. C'est à cause de Maude ?
Moi (un peu agressivement) : Non !
Olivier : T'es sûre ?
Moi : Maude m'énervait avant que t'arrives à l'école !
Olivier : C'est quoi, alors ?
Moi (nerveusement) : Ben... Euh ! Disons que...

J'ai pris une grande inspiration.

Moi (toujours aussi nerveusement et en fixant le plancher pour être certaine que mon regard ne croise pas le sien) : J'avoue que je suis un peu mélangée, des fois, parce que... ben, euh ! Je ne sais pas si tu me considères seulement comme une amie, genre, ou s'il y a quelque chose de plus entre nous.

Il a déposé son chai latte et il s'est penché un peu vers moi.

Olivier : Est-ce que j'ai l'air d'être juste ton ami ?
Moi (en souriant) : Non...

Il a jeté un coup d'œil autour de lui (ça me gosse vraiment), puis il a pris ma main.

Olivier : Je suis un peu gêné en public, mais il ne faut pas que tu interprètes ça comme de l'indifférence, OK ?
Moi (en souriant comme si ses explications me suffisaient) : OK.

La vérité, c'est que j'avais tellement plus de questions que lui :
1. Pourquoi il ne m'embrassait jamais devant les autres ? Est-ce vraiment juste parce qu'il était timide, ou parce qu'au fond il avait honte moi ?
2. Pourquoi se tenait-il avec les nunuches ?
3. Si nous n'étions pas que des amis, alors qu'étions-nous ?

4. Qui lui avait appris à embrasser comme un moulin
    à vent ?

Mais j'ai décidé de laisser tomber l'interrogatoire pour
l'instant et de me concentrer sur les maths. On a passé
près de deux heures à faire des exercices ensemble,
puis je lui ai annoncé que je devais rentrer chez moi. On
a marché côte à côte jusqu'au métro sans se toucher, et
comme nous n'allions pas dans la même direction, on
s'est dit au revoir près des tourniquets.

Moi (en lui faisant un petit signe de la main) : Bon
ben... À demain !

J'ai commencé à marcher vers mon quai.

Lui (derrière moi) : Léa ?
Moi (en me retournant) : Hum ?
Lui : Est-ce que je peux avoir ton numéro de cellulaire,
s'il te plaît ?

J'ai ri et j'ai noté mon numéro dans son agenda.

Moi : OK ! Bye pour vrai !

Il m'a retenue par le bras.

Lui : Attends...

Moi : Faut vraiment que j'y aille ! Mes parents vont capoter si je ne suis pas là pour le souper.

Lui (en se rapprochant de moi) : Donne-moi une minute...

Il a posé ses lèvres sur les miennes, mais j'ai pris soin de ne pas ouvrir ma bouche. Je sais, c'est méchant, mais je n'avais pas envie qu'il m'embrasse à pleine bouche ni qu'il me barbouille le visage de salive devant tous les usagers du métro ! Il faut croire que je suis gênée, moi aussi !

Moi : Bon, j'y vais ! À demain !

J'ai couru pour attraper mon métro sans me retourner. Quand je suis arrivée chez moi, mes parents m'ont évidemment fait subir un interrogatoire en règle pour savoir où j'étais passée. Quand je leur ai expliqué que j'étudiais pour mon exam de maths, ils se sont calmés, mais j'ai l'impression qu'ils ont la mèche courte ces temps-ci. Félix prétend que c'est parce qu'ils sont stressés à cause du travail, mais est-ce que c'est de ma faute, ça ? Et est-ce qu'ils réalisent que, moi aussi, je vis des stress au secondaire ? Pfff. Injustice !

Ce matin, Olivier m'a accueillie super gentiment quand je suis arrivée à mon casier. Il ne m'a pas embrassée, mais on a marché ensemble jusqu'à la classe de français et j'ai vu que les nunuches nous suivaient du regard.

Je ne l'ai pas beaucoup vu pendant le reste de la journée, puisque j'ai dîné avec Jeanne, Éloi et Alex et que je suis rentrée directement chez moi après l'école.

D'ailleurs, je dois te laisser, car je dois réviser mes formules une dernière fois avant de me mettre au lit !

Souhaite-moi bonne chance !
Léa xox

P.-S. : J'ai tellement hâte à vendredi. Ta planification de la fin de semaine est parfaite ! ☺
P.P.-S. : Je suis contente que tu ne sois plus aussi rejet dans ton groupe. Finalement, est-ce qu'il y a eu des rapprochements entre Laurie et Christian ?

🔋 08-10 11 h 34
. . . .

Lou... ☹ Je sors de mon exam de maths et c'était vraiment difficile! Et en plus, j'ai fait la pire erreur au monde: au lieu d'écrire que le sinus équivalait à X, j'ai écrit que la sinusite équivalait à X. Le prof va me trouver tellement cruche!

🔋 08-10 11 h 36
. . . .

Oh, non! Est-ce que tu t'es au moins souvenue des cosinus?

🔋 08-10 11 h 38
. . . .

Non... C'est encore plus honteux: j'ai appelé ça un coussinus! ☹ J'étais tellement nerveuse que je ne me souvenais de rien! Je pense que je n'ai jamais eu aussi honte depuis l'épisode de Léna Oliviera!

🔋 08-10 11 h 39
. . . .

Ça, c'est parce que tu as bloqué l'épisode de l'écureuil rôti de ta mémoire... ;)

🔋 08-10 11 h 40
. . . .

OMG! T'as raison! Sans parler d'Adam et de ma fausse identité! On peut dire que cette année, j'ai le don d'avoir l'air nouille!

📱 08-10 11 h 40

Ben non, voyons! Dis-toi qu'un jour, tu vas en rire! Et là, ton exam est passé et ça ne sert à rien de t'en faire. Célébrons plutôt le fait que tu vas me voir très bientôt! ☺

📱 08-10 11 h 41

OUI!!! Je compte les heures! ☺

📱 08-10 11 h 42

Bon, je te laisse! J'ai invité Christian à ma table pour qu'il puisse se rapprocher de Laurie, mais elle est bête avec lui depuis tantôt, alors je vais essayer de détendre l'atmosphère.

📱 08-10 11 h 44

OK! Bonne chance, et on se parle plus tard! xx

Mercredi 8 octobre

18 h 44

Katherine (en ligne): Léa, je capote encore à cause de l'exam de maths. Je suis sûre de couler.

18 h 45

Léa (en ligne): Ben non! Tu dis toujours ça, mais tu finis toujours par avoir de bonnes notes. Je suis certaine qu'au bout du compte, tu auras un meilleur résultat que moi.

18 h 45

Katherine (en ligne): Tu dis ça à cause de ta... petite panne de cerveau? ;)

18 h 46

Léa (en ligne): J'appellerais plus ça un pet de cerveau! Qui écrit «coussinus» et «sinusite» dans un exam de maths? Léa Olivier, voyons!

Jeanne vient de se joindre à la conversation.

18 h 47

Jeanne (en ligne): Salut! De quoi parlez-vous?

Léa (en ligne): De l'exam de maths et de mon pet de cerveau!

18 h 48

Jeanne (en ligne): Beurk!

18 h 48

Katherine (en ligne): Et j'allais ajouter que le pet de cerveau de Léa est la seule chose qui me fasse rire depuis que Mike m'a fait comprendre qu'on n'avait jamais été officiellement en couple!

18 h 49

Léa (en ligne): Je suis heureuse de t'être utile! ;) Et toi, Jeanne? Comment ça va?

18 h 50

Jeanne (en ligne): Je déprime en réalisant que je serai toute seule en ville cette fin de semaine! Kath s'en va à Québec, tu vas rejoindre Marilou et Alex part dans le Nord! C'est injuste! Je vais être rejet ici!

Katherine (en ligne): Tu pourrais faire quelque chose avec Éloi et sa blonde?

18 h 52

Jeanne (en ligne): Et me sentir de trop parce qu'ils passent leur temps à *frencher*? Non merci! Léa, promets-moi que tu vas m'écrire les détails de ton party avec Thomas. Je compte vraiment sur toi pour me divertir.

18 h 52

Léa (en ligne): Promis! Mais je ne crois pas avoir grand-chose à raconter, car c'est vraiment fini entre lui et moi.

18 h 53

Katherine (en ligne): Sans compter que tu as maintenant un nouveau CHUM!

18 h 53

Léa (en ligne): Heille! Olivier n'est pas mon «chum». Il n'y a rien d'officiel entre nous. La preuve, c'est qu'il ne m'embrasse même pas à l'école!

Jeanne (en ligne): Parlant de ça, il commence à m'énerver, lui! Pourquoi il ne te frenche pas devant tout le monde qu'on en finisse?

18 h 54

Léa (en ligne): On dirait qu'Alex a déteint sur toi! ;)

18 h 54

Jeanne (en ligne): Peut-être, mais ma patience a des limites, et là, il est temps qu'il se décoince!

18 h 55

Léa (en ligne): Je sais... Il m'a dit qu'il était gêné en public, mais je me demande si ce n'est pas parce qu'il ne veut rien de sérieux. Félix m'a dit qu'il avait le profil typique du gars qui voulait s'amuser tout en gardant son indépendance...

18 h 55

Katherine (en ligne): Veux-tu vraiment te baser sur les conseils amoureux de ton frère?

18 h 56

Léa (en ligne): Hum... Peut-être pas! ;)

Jeanne (en ligne): Eh bien, s'il veut jouer cette *game*-là, tu as le droit de faire ce que tu veux, toi aussi!

18 h 57

Léa (en ligne): Qu'est-ce que tu veux dire par là?

18 h 57

Jeanne (en ligne): Que tu n'as pas à te sentir mal de te faire du *fun*, en fin de semaine!

18 h 58

Katherine (en ligne): Jeanne a raison. Si Olivier joue à l'indépendant ou n'ose pas s'afficher avec toi, alors tu n'as pas à te sentir mal pour lui. Ni pour aucun gars, d'ailleurs! Ce sont tous des traîtres!

18 h 58

Léa (en ligne): T'as raison! (Sauf Alex.)

18 h 59

Jeanne (en ligne): C'est vrai! (On peut même entrer Alex dans le groupe des gars crosseurs si ça peut faire du bien à Kath!)

Katherine (en ligne): Lol! Merci, les filles! J'apprécie votre soutien pendant cette période anti-masculinité.

Félix vient de se joindre à la conversation

19 h 00

Léa (en ligne): Qu'est-ce que tu fais là, toi? Tu ne vois pas que c'est une conversation de filles? On est en train de *bitcher* contre les gars, en plus!

19 h 01

Félix (en ligne): Je voulais juste te dire que j'ai demandé à papa de commander des mets chinois pour le souper et que le livreur est à la porte.

19 h 02

Léa (en ligne): OH! Merci, grand frère! Les filles, je suis forcée de faire une trêve d'embargo! Mon plat favori m'attend en bas.

19 h 02

Katherine (en ligne): C'est correct! File! On poursuivra notre discussion demain. xx

Katherine s'est déconnectée

19 h 03

Jeanne (en ligne): Bon appétit, les Olivier! xx

Jeanne s'est déconnectée

19 h 04

Félix (en ligne): Qu'est-ce que vous avez contre les gars?

19 h 04

Léa (en ligne): Tu ne pourrais pas comprendre. Tu es un gars. On se voit en bas.

Léa s'est déconnectée

19 h 05

Félix (en ligne): Je ne comprends rien aux filles.

À : Marilou33@mail.com
De : Léa_jaime@mail.com
Date : Vendredi 10 octobre, 14 h 42
Objet : Victoire !

Lou !
Tu ne devineras jamais ! Malgré mon petit (gros) pet de cerveau qui m'a fait écrire des niaiseries dans l'exam de maths de mercredi, ma vie a pris une tournure extraordinaire aujourd'hui. J'ai même demandé à Félix de me pincer pour m'assurer que je ne rêvais pas. (Évidemment, il en a profité pour me faire une pincette toupie qui a laissé une marque, mais je suis tellement heureuse que je m'en fiche !)

Je sais que je te vois ce soir, mais comme il y a le WiFi dans l'autobus et que le trajet est long, je me suis dit que je te ferais un super résumé avant mon arrivée.

Tout a commencé ce matin dans le cours d'anglais lorsque madame Potter nous a donné des instructions pour une activité en classe. Évidemment, je n'ai pas compris du premier coup.

Madame Potter : *OK, guys ! We're gonna play a little game. Each one of you is going to tell us a story that happened this summer.*
Moi (en chuchotant à Jeanne, les yeux ronds et le regard paniqué) : Qu'est-ce qu'elle a dit ?

Jeanne : Qu'il faut que chacun de nous raconte une histoire qui lui est arrivée cet été !

Madame Potter : *Léna ! Why are you talking ?*

Rire hystérique des nunuches.

Moi : *My name is LÉA, madame.*

Madame Potter (en pointant Maude) : *Oh, sorry.* Jé souis confuse parce qué Claude m'avait dit qué ton *name* était Léna.

Rire hystérique de toute la classe.

Maude (en criant) : Heille ! Je m'appelle MAUDE ! Pas CLAUDE !

Madame Potter : Oh, désolée. Jé souis confuse. *Anyways !* Léa, tou peux commencer. Raconte oune histoire.

Moi : *Euh ! OK. I went to a* « camp de vacances » *and I got lost in the forest.*

Maude : Tu t'es perdue en forêt et quelqu'un a été assez fou pour te retrouver ?

Moi : *Excuse me, CLAUDE, but you are supposed to talk in ENGLISH !*

Madame Potter : Léa a raison, Claude.

Maude : Je m'appelle MAUDE !

Madame Potter : *IN ENGLISH, please ! Thank you,* Léa, pour ton histoire. Passons à quelqu'un d'autre.

Maude était rouge de rage et je jubilais ! Pour une fois, c'était elle qui avait été la risée du cours ! À l'heure du dîner, je suis allée rejoindre mes amis à notre table habituelle, et ils m'ont accueillie en applaudissant.

Éloi (en imitant la voix de madame Potter) : *Good job, Léa!* Maude était vraiment en colère !
Moi (en frappant des mains) : Je sais ! Et le plus extraordinaire dans tout ça, c'est que j'ai réussi à dire une phrase en anglais sans me tromper. Je pense que c'est la plus belle journée de ma vie.
Jeanne (en jetant un coup d'œil derrière mon épaule) : Attention, ton chum-pas-chum approche !

Je me suis retournée et je me suis retrouvée face à face avec Olivier.

Moi (nerveusement et la voix cassée) : Hé, salut !

Mes amis m'ont regardée d'un drôle d'air. J'ai toussoté et j'ai essayé de retrouver mon calme.

Moi : Veux-tu t'asseoir avec nous ?
Olivier (à voix basse) : Euh ! Je préférerais être seul avec toi. Ça te dirait d'aller faire une balade dehors ?
Moi : Il pleut dehors.
Olivier : Oh !... Je vois. Alors on pourrait aller au local du journal, je pense qu'il n'y a pas personne ce midi.

J'ai croisé les regards d'Alex et de Katherine qui semblaient bouillonner de l'intérieur. Leur réaction a eu un effet domino sur moi et j'ai senti ma gorge se resserrer. J'en avais assez qu'il me demande de me cacher pour passer du temps avec lui.

Moi (froidement) : J'avoue que je préfère rester ici. Si ça te tente, tu peux te joindre à nous. Sinon, on se parlera plus tard.

J'ai vu un éclair de joie dans les yeux de Katherine.

Olivier (surpris) : Euh ! OK. Alors, fais-moi une petite place.

Je jubilais. Je m'étais imposée et ça avait fonctionné. Olivier était maintenant assis à côté de moi et il discutait de hockey avec Éloi et Alex. J'étais vraiment contente que mes amis puissent apprendre à mieux le connaître et découvrir qu'il était super gentil. C'était mieux que de m'imaginer qu'il s'amusait avec mes sentiments.

Quand la première cloche a sonné, je me suis levée d'un bond.

Moi : Je dois vite aller récupérer mes affaires à mon casier, car Félix m'attend dehors.

Olivier : Hein ? Tu ne vas pas au cours d'éducation physique ?

Moi : Non ! Mes parents ont écrit un billet au directeur pour lui dire que je m'absentais cet après-midi. Ça me permet de pouvoir prendre l'autobus de 14 h et d'arriver chez Marilou à l'heure du souper.

Olivier (à voix basse) : Dommage... J'aurais aimé passer un peu de temps seul avec toi avant que tu partes.

Traduction : J'aurais aimé faire la torpille en cachette !

J'ai dit au revoir à mes amis, puis j'ai ramassé mon sac d'école qui traînait par terre. Quand je me suis relevée, j'ai remarqué qu'Olivier ne se tenait qu'à quelques centimètres de moi et me regardait d'un air nerveux. J'ai vu que Jeanne et Katherine nous guettaient du coin de l'œil. Elles voulaient voir si Olivier allait oser m'embrasser devant elles.

Moi (en le regardant dans les yeux, ce qui est difficile comme il mesure une bonne tête de plus que moi) : Bon, bien... Bye, Olivier, passe une belle fin de semaine !

J'ai tendu mes lèvres vers sa joue, mais à la dernière minute, il a tourné légèrement son visage et nous nous sommes embrassés sur le coin de la bouche ! ! !

OK. Je sais qu'en ce moment, tu es en train de te dire « mais qui est cette fille qui s'énerve parce qu'un gars qui ne s'assume pas ose lui donner un petit bec sur le coin de la bouche ? En tout cas, ce n'est pas ma meilleure amie », mais ce qui est fantastique dans notre presque-bec-en-public, c'est que Maude et Marianne nous ont vus. Ma meilleure ennemie passait juste à côté au moment où s'est arrivé, et j'ai vu son visage tourner au vert, puis au bleu, puis au violet... Pauvre Claude ! Ce n'est vraiment pas sa journée ! Mouahaha !

J'ai dit au revoir à Olivier et je me suis empressée d'aller chercher mon manteau avant que mon frère ne s'impatiente. J'étais sur le pas de la porte quand Katherine m'a interceptée.

Katherine (d'un air mécontent) : C'était quoi, ce bec raté là ?
Moi (confuse) : Ben là ! Olivier m'a presque embrassée sur la bouche devant vous et devant Maude ! J'appelle ça un grand moment dans l'histoire de l'humanité.
Katherine (en posant ses mains sur ses hanches) : Moi, j'appelle ça un gars qui ne s'assume toujours pas et qui ne te mérite pas.
Moi (en posant une main sur son épaule) : T'es fine de prendre soin de moi, Kath, mais je pense que tu capotes pour rien. Olivier n'est pas un mauvais gars. Il est juste un peu pogné devant le monde... et

pas toujours *full* doué en matière de *french*... et pas toujours intelligent dans son choix d'amies – genre, les nunuches –, mais il est gentil avec moi, et je sens qu'il m'aime bien.

Katherine (en plissant les yeux) : En tout cas, moi, je l'ai à l'œil ! Promets-moi au moins que tu vas avoir du *fun* en fin de semaine, et que tu ne vas pas perdre ton temps à t'ennuyer de lui ?

Moi : Promis.

Katherine : Parole de coussinus ?

Moi (en lui faisant une grimace) : Nia, nia, nia ! Allez, je dois filer. On s'écrit en fin de semaine. Je t'aime !

Katherine : Moi aussi ! Et salue Marilou de ma part !

Alors voilà. Tu as maintenant le résumé d'une de mes journées les plus fructueuses depuis mon arrivée à Montréal (j'exagère à peine !).

Je te laisse, car je veux lire les revues que ma mère m'a achetées pour passer le temps, mais on se voit très bientôt. J'AI HÂTE !

Je t'aime !
Léa xox

À : Jeanneditoui@mail.com,
Katherinepoupoune@mail.com
De : Léa_jaime@mail.com
Date : Dimanche 12 octobre, 15 h 22
Objet : Olivier qui ?

Salut, les filles !
Je vous écris pour vous faire un résumé de ma fin de semaine. Et contrairement à ce que je croyais, j'ai des potins croustillants pour vous. ;)

Quand je suis arrivée au terminus vendredi, Marilou m'attendait avec sa mère. Nous étions tellement contentes de nous retrouver.
Mais dès que nous sommes arrivées chez elle et que nous nous sommes barricadées dans sa chambre, elle s'est empressée de me faire un discours pro-Léa-et-anti-Olivier digne du tien, Katherine !

Je lui avais envoyé un courriel dans l'autobus pour lui raconter mon énervement, à la suite du bec-sur-le-coin-de-la-bouche-dans-la-cafétéria avec Olivier, et apparemment, ça ne l'a pas impressionnée du tout.

Marilou : Léa, réalises-tu que tu es en train de défendre un gars qui se cache pour être avec toi ?
Moi : Je ne le défends pas ! Je dis juste qu'il n'est pas un mauvais gars et que je sens qu'il m'aime bien. Il m'a

dit qu'il était gêné de s'afficher en public... alors c'est peut-être juste ça l'explication.

Marilou : Et pourquoi il passe autant de temps avec Maude et les nunuches ?

Moi (en fronçant les sourcils) : Ça, c'est une autre histoire. C'est peut-être lié à un pet de cerveau ? T'sais, ça arrive à tout le monde, ces choses-là !

Marilou : Je sais, madame Coussinus, mais ce n'est pas une raison pour te tenir à l'écart et te faire sentir comme si tu sentais le pet de cerveau !

Son jeu de mots m'a fait éclater de rire.

Moi (en reprenant mon sérieux) : Tu n'es pas la seule à penser ça... Jeanne, Katherine et Alex m'ont dit plus ou moins la même chose.

Marilou : Alors, promets-moi qu'à ton retour tu lui feras face pour lui dire que tu n'aimes pas ça, et que tu veux que ça change. S'il veut juste être ton ami, *fine*, mais s'il veut s'amuser à te torpiller la bouche, il va devoir assumer devant tout le monde et accepter le fait que vous formez un couple.

Moi : Penses-tu vraiment que ça peut fonctionner ?

Marilou : Affirmatif ! Regarde JP et moi ! Avant, il agissait comme un « *yo* » retardé et il ne m'accordait aucune attention, alors que maintenant, il me traite aux petits oignons et me fait sentir comme si j'étais la plus merveilleuse fille du monde.

Son cellulaire a vibré à cet instant même.

Marilou : OH! Justement, c'est lui! (En répondant) Salut, mon canard! Comment ça va? Oh... Hi! Hi! Tu me manques aussi, mon poussin.

Je n'avais jamais entendu Marilou parler avec une voix aussi mielleuse auparavant. Comme la conversation à terminologie animale prenait une tournure interminable, je me suis installée sur son lit pour lire une revue. Elle a raccroché quinze minutes plus tard.

Marilou (le visage tout rouge) : Je m'excuse... Je sais que ç'a été un peu long.
Moi (en déposant ma revue tout en souriant) : C'est correct, mon canard. Je te pardonne!
Marilou (en me lançant un coussin) : Ne ris pas de moi!
Moi (en riant un peu plus fort) : Mais je ne ris pas de toi, mon poussin!
Marilou (en riant aussi) : OK, OK! J'avoue que JP et moi sommes devenus un peu... quétaines depuis qu'on a repris, mais Léa, je n'ai jamais été aussi heureuse de toute ma vie.
Moi : Alors je suis contente pour toi, Lou.
Marilou : Et je pense que tu mérites la même chose.
Moi : Ouais, t'as raison. Je vais parler à Olivier dès que je rentre à Montréal. Pour l'instant, est-ce qu'on peut juste se changer les idées et se faire du *fun*?
Marilou : Tes désirs sont des ordres.

Et c'est ce que nous avons fait. Nous avons passé le reste de la soirée de vendredi et la journée de samedi à écouter des vidéos sur YouTube, à regarder des films et à nous faire les ongles ! C'était génial !

Hier, après le souper, nous nous sommes coiffées et préparées pendant plus de 45 minutes pour le fameux party de JP. Comme j'avais vu Thomas quelques jours avant, je n'étais pas nerveuse; j'étais simplement heureuse de revoir tout le monde.

Quand nous nous sommes présentées chez Seb, c'est Thomas qui est venu nous ouvrir. Je me suis rappelé qu'il y a à peine plus de six mois, on s'était retrouvés dans la même situation chez son ami JP et que je n'avais pas été capable de prononcer un seul mot tellement j'étais sous le choc de le revoir. Pire encore : le fait de le revoir m'avait rendue malade.

Samedi soir, c'était une autre Léa qui faisait face à Thomas; j'étais de bonne humeur et je me sentais en parfait contrôle de la situation.

Lui (en m'embrassant sur la joue) : Salut ! Bienvenue dans ta ville !
Moi (en entrant dans la maison) : Merci ! Mais c'est bizarre... Je me sens de moins en moins chez moi, quand je me promène dans les rues. Peut-être qu'une

petite partie de moi est en train de devenir une vraie Montréalaise.

Marilou (en me prenant par le cou) : En tout cas, une partie de ton cœur restera toujours ici, parce que c'est là que vit ta meilleure amie.

JP est arrivé à cet instant et Marilou lui a sauté dans les bras comme si ça faisait mille ans qu'ils ne s'étaient pas vus. Je vous jure que je ne l'ai jamais vue dans cet état.

Les deux amoureux ont commencé une session de *french* assez intense et Thomas et moi ne savions plus trop où nous mettre.

Thomas (en me tirant par le coude) : Viens, Léa. On va aller au salon. Je me sens un peu de trop ici.

Je suis donc allée rejoindre les convives qui étaient déjà arrivés au party. J'étais contente de revoir Marie-Pier (une amie de secondaire 1 avec qui Marilou a retissé des liens cette année, puisqu'elles se retrouvent toutes les deux un peu rejet dans la même classe), Laurie et Steph, qui m'ont tout de suite demandé de leur faire un résumé de ma vie amoureuse.

Après leur avoir raconté où en était la situation avec Olivier, Laurie a réagi de la même façon que toi, Kath.

Laurie : Ben là ! C'est quoi, cette affaire-là ? Je suis tellement tannée que les gars nous traitent comme des objets.

Moi : Euh ! Olivier ne me traite pas comme un « objet ». Il est juste un peu timide.

Laurie : Timide, mon œil ! Il est grand temps qu'on se serre les coudes entre filles et qu'on réalise qu'on n'a pas besoin d'eux pour se sentir belles et pour être en pleine possession de nos moyens.

Moi : Mais je n'ai jamais dit que...

Laurie (en soulevant une main) : Tut-Tut ! Léa ! Ne commence pas à entrer dans le jeu de la manipulation masculine. Tu mérites mieux que ça, un point c'est tout !

Steph (en chuchotant dans mon oreille) : Excuse-la. Elle est vraiment dans un mode « vive les femmes » et « à bas les gars ».

Laurie est allée se chercher à boire, et j'en ai profité pour prendre des nouvelles de Steph, à qui je n'avais pas parlé depuis des semaines.

Moi : Alors, tu files toujours le parfait bonheur avec Seb ?

Steph (en détournant les yeux) : Mouais...

Moi : Wow, t'as l'air enthousiaste !

Steph (en souriant): Je sais... J'avoue que je ne suis plus *full* sûre de ce que je ressens depuis quelques semaines...

Moi (surprise): Ah oui? Je ne savais pas! Marilou ne m'en a pas parlé.

Steph: C'est parce qu'elle ne le sait pas...

Moi: Tu ne lui as pas dit que tu avais des doutes à propos de ton chum? Ça m'étonne! Je pensais que vous étiez assez proches...

Steph (en pointant discrètement Marilou, qui était encore pendue au cou de JP): On est proches, mais regarde-la! Elle est tellement sur un nuage depuis qu'elle a repris avec JP que je n'ai pas osé briser sa bulle. Elle s'imagine qu'on forme, genre, le quatuor de l'amour.

Moi (en riant): Oh, non! Pauvre Marilou! Mais en même temps, je trouve ça *cute* de la voir comme ça. Ce soir, elle a même été presque gentille avec Thomas.

Steph: Parlant de lui, ça te fait quoi de le revoir?

J'allais répondre, mais Thomas s'est aussitôt matérialisé devant nous.

Thomas: Excusez-moi de vous interrompre, les filles, mais Léa, est-ce que je peux te parler deux petites minutes?

Moi: Euh! OK.

J'ai lancé un regard surpris à Steph et j'ai suivi mon ex dans la cour arrière de la maison de JP.

Thomas (en refermant la porte-fenêtre derrière lui) : C'est correct si on s'installe ici ? La musique est tellement forte qu'on ne s'entend pas parler à l'intérieur.

J'ai acquiescé en frissonnant, et Thomas s'est empressé de me prêter son chandail à capuchon que j'ai enfilé sans hésiter.

Quelque chose de bizarre s'est alors produit. C'est comme si le fait de porter son chandail et d'être enveloppée de son odeur m'avait transportée dans un monde de nostalgie. J'ai fermé les yeux quelques instants et j'ai souri.

Thomas (en me regardant d'un drôle d'air) : Pourquoi tu souris comme ça ?

Moi : Je ne sais pas... Je pense que c'est à cause de ton chandail. Pendant quelques secondes, j'ai eu l'impression que je n'avais jamais déménagé et qu'on était au parc tous les deux.

Thomas (en se rapprochant de moi) : Tu grelottes encore. Laisse-moi te réchauffer.

Moi (en posant mon front contre son épaule tandis qu'il me frottait le dos) : C'est vraiment traître, ta technique de rapprochement. J'ai froid, alors je ne peux pas dire non.

Thomas : En fait, j'ai bien vu que tu cherchais une façon de te rapprocher de moi, alors je me suis dit que je te donnerais un coup de main.

J'ai reculé d'un pas et j'ai vu que Thomas se mordait les joues pour ne pas rire.

Moi (en lui frappant l'épaule) : Pendant deux secondes, j'ai vraiment cru que tu étais sérieux et que tu te croyais irrésistible !

Thomas (en posant une main autour de ma taille) : Ce n'est pas moi qui suis irrésistible. C'est toi.

Moi (un peu nerveusement) : Pfff.

Thomas (en me regardant dans les yeux) : C'est vrai ! Je t'ai d'ailleurs vue à l'œuvre, la fin de semaine dernière. T'es géniale, Léa, et si ton Olivier est trop con pour s'en rendre compte, c'est qu'il n'en vaut pas la peine.

Moi (en paniquant) : Hein ? Comment ça tu connais Olivier ? Qui t'a...

Thomas (en se rapprochant davantage) : Relaxe, Léa ! Personne ne m'a rien dit ! C'est moi qui ai été indiscret tantôt et qui ai écouté ta conversation avec Laurie et Steph.

Moi : Oh, je vois...

Thomas (en m'attirant vers lui) : Tu as conservé ton caractère, à ce que je vois.

Son visage était tout près du mien. La familiarité de ses caresses, de son visage et de son odeur m'a fait perdre la tête pendant quelques instants, et Thomas en a profité pour poser ses lèvres sur les miennes. J'ai répondu à son baiser.

On s'est embrassés pendant plusieurs minutes. Je sais que c'est méchant de comparer, mais ça faisait tellement du bien d'embrasser quelqu'un qui ne prend pas sa langue pour une toupie !

Quand je me suis finalement défaite de son étreinte, j'ai toussoté et je l'ai regardé droit dans les yeux.

Moi : Tu sais que ça ne change rien à...
Thomas (en m'interrompant) : Je sais que tu restes à Montréal et que moi, je suis ici. Mais ça ne m'empêche pas de te trouver belle et de m'ennuyer de toi.

Il m'a embrassée à nouveau, et ce sont des coups à la porte qui nous ont interrompus. J'ai aperçu Marilou qui avait le visage écrasé contre la vitre et qui nous observait en écarquillant les yeux.

Moi : Oups... Je pense que je ferais mieux de rentrer. La connaissant, elle va vouloir des explications.
Thomas : Qu'est-ce que tu vas lui dire ?
Moi (en retirant son chandail et en lui remettant) : Que ton chandail m'a fait perdre la tête ! À plus, Thomas.

Quand j'ai regagné le salon, Marilou m'attendait les bras croisés.

Marilou : Qu'est-ce que je viens de voir dehors ?
Moi : Euh ! Moi qui discutais avec Thomas ?
Marilou : Léa ?
Moi : Moi qui réalisais qu'Olivier embrasse vraiment mal ?
Marilou : Léa !
Moi : Quoi ! C'est vrai ! Thomas embrasse mieux !
Marilou : Et pourquoi t'as embrassé Thomas ?

J'ai vu mon ex qui me guettait du coin de l'œil.

Moi (à voix basse) : Est-ce qu'on peut aller en discuter dans la salle de bains ? J'ai l'impression qu'il nous écoute.

Marilou m'a prise par la main et m'a guidée jusqu'aux toilettes. Comme la porte était déverrouillée, elle est entrée sans frapper. Marilou et moi sommes alors tombées sur Laurie qui frenchait passionnément Christian, l'ami de Marilou.

Moi : Oups, excusez-nous.
Marilou (en souriant) : Christian ? Je ne t'ai même pas vu arriver ! Et je ne savais pas que... Laurie et toi...
Laurie (en rougissant et en repoussant Christian) : Ce n'est pas ce que tu crois. C'est la première fois qu'on

s'embrasse, et j'ai bien fait comprendre à ton ami qu'il n'y en aurait pas de deuxième, et qu'il ne fallait pas qu'il se fasse des idées !

Christian (en se redressant) : Ouais... euh ! C'était juste un *french*, comme ça.

Moi : Si ça peut te rassurer, moi, je te crois. Ça arrive, ces choses-là !

Marilou : Tu vas me faire croire que ton *french* avec Thomas ne veut rien dire ?

Laurie : Hein ? Léa a *frenché* Thomas ?

Moi (en lançant un regard noir à Marilou) : Merci pour ta discrétion...

Christian : Je ne comprends pas... Je pensais que Thomas sortait avec une fille de secondaire 5 !

Moi : Exactement. Thomas sort avec Sarah. Ça ne va pas *full* bien entre eux, mais mon *french* n'a rien à voir là-dedans. C'était juste une façon de clore notre relation.

Marilou : Me prends-tu pour une dinde ?

Moi : Non. Je te dis la vérité. Je ne suis plus amoureuse de Thomas. Mais il m'a prêté son chandail, et je ne sais pas... son odeur m'a fait perdre la tête. Et comme tout le monde m'avait dit de m'amuser ce soir, je ne vois pas ce qu'il y a de mal là-dedans.

Marilou : Tu me jures que le *french* ne voulait rien dire d'autre ?

Moi : JE TE JURE !

Marilou (en souriant) : Alors, je suis fière de toi !

Moi (confuse) : Hein ?

Laurie (en posant une main sur mon épaule) : Marilou a raison d'être fière de toi. C'est tellement rare que les filles agissent sans réfléchir ! C'est bien fait pour Thomas si tu ne l'aimes plus. Tant pis pour les gars du monde entier !

Christian : Euh ! Je pense que je vais y aller !

Laurie, Marilou et moi avons éclaté de rire, et nous sommes allées danser au salon avec Steph. Quand j'ai quitté la fête, je suis allée dire au revoir à Thomas, qui m'a serrée très fort dans ses bras.

Thomas : Promets-moi que tu vas me donner des nouvelles.

Moi : Promis. Et toi, promets-moi que tu ne me prêteras plus jamais ton chandail à capuchon qui sent comme toi ?

Thomas (en souriant) : Je ne peux pas te promettre ça.

Moi : Bonne nuit, Thomas.

Thomas : Bonne nuit, Léa.

Marilou et moi sommes rentrées et nous avons potiné une bonne partie de la nuit, et à force de lui répéter que je n'éprouvais plus de sentiments pour Thomas, elle a fini par me croire. La bonne nouvelle, c'est que ça m'a fait du bien de penser à autre chose qu'à Olivier. Katherine, j'espère que tu seras fière de moi, car j'ai vraiment eu du *fun* en fin de semaine ! ☺

Marilou va rentrer de son entraînement de natation d'une minute à l'autre, alors je vous laisse, mais on se voit mardi à l'école. Katherine, j'espère que tu te changes les idées à Québec, et Jeanne, j'espère que tu ne te tournes pas trop les pouces à Montréal.

Bisous !
Léa

Inscris un titre : Merci

Écris ton problème : Salut, Manu ! Aujourd'hui, je ne t'écris pas pour te poser une question, mais plutôt pour te remercier. Ma vie va vraiment bien ces temps-ci, et j'ai même compris que je n'étais plus du tout amoureuse de mon ex, Thomas. Je crois d'ailleurs que ton aide et tous les conseils que tu donnes aux filles ont quelque chose à voir dans tout ça. Merci pour ton écoute et pour tout ce que tu fais pour nous.

À très bientôt,
Léa xox

Manu répond à deux questions par semaine. Tu seras peut-être choisie...

Chapitre 6 :
Rien ne va plus !

À : Marilou33@mail.com
De : Léa_jaime@mail.com
Date : Mardi 14 octobre, 17 h 02
Objet : BEURK !

Salut, Lou !
Quel retour déprimant ! Je savais que ça allait être difficile de revenir à la réalité, mais je ne m'attendais pas à quelque chose d'aussi pénible.

Même si ma fin de semaine m'a permis de faire le vide et d'oublier Olivier pendant quelques instants (merci, Thomas !), ce matin, j'avais une boule dans le ventre en me réveillant. Je ne savais vraiment pas à quoi m'attendre en le revoyant.

Quand je l'ai finalement croisé près de mon casier, j'ai rapidement senti qu'il avait l'air bizarre. Évidemment, je ne m'attendais pas à ce qu'il accoure vers moi, me soulève dans les airs et m'embrasse devant le reste de l'école, mais disons qu'après notre presque-baiser de vendredi, j'espérais qu'il soit un peu colleux. Ce ne fut pas le cas.

Moi (en le voyant) : Heille ! Salut, toi ! Ça va ? As-tu passé une belle fin de semaine ?
Olivier (en sursautant presque) : Heille ! Euh ! Oui, oui. Belle fin de semaine. Pourquoi, euh ! tu me demandes ça ?

Moi (en haussant un sourcil) : Pour faire la conversation ?

Olivier (en riant nerveusement) : Ah, OK ! Ha, ha ! Ben oui, hein ! Euh !... Bon, ben, je vais prendre mes livres et je vais me rendre en classe parce que euh ! j'ai peur d'être en retard.

Il a fermé son casier en vitesse et il a déguerpi sans que j'aie le temps de rien ajouter. J'ai regardé l'horloge : il restait dix minutes avant le début des cours, alors je ne comprenais pas pourquoi il était si pressé.

J'étais perdue dans mes pensées quand Jeanne et Alex sont venus me rejoindre.

Jeanne et Alex (en plantant un baiser sur chacune de mes joues) : ALLO !

Moi : Salut ! Vous parlez en même temps, maintenant ?

Jeanne : Oui. C'est ça qui arrive quand Alex m'abandonne pendant une fin de semaine. Je deviens bizarre et je parle en même temps que lui.

Katherine a alors couru vers nous et s'est jetée à mon cou.

Katherine : LÉA ! Je suis TELLEMENT fière de toi !

Moi : Hein ? Comment ça ?

Katherine : Ben là ! À cause de ton *french* avec Thomas, c't'affaire !

Moi (en regardant autour de moi) : CHUT ! Je ne veux pas qu'Olivier ou Maude nous entendent !

Katherine : Mais on s'en fout qu'ils m'entendent ! Je veux justement célébrer ton indépendance et ta force féminine. Bravo, pour ta fin de semaine ! Tu m'impressionnes.

Alex (en me dévisageant) : T'as embrassé Thomas ?

Il y a eu un petit moment de silence. Je n'avais pas trop envie de rentrer dans les détails de ma fin de semaine avec Alex, parce que j'avais peur qu'il ne comprenne pas.

Moi : Euh ! Ouais, mais ça ne veut rien dire. C'est plus comme pour se dire adieu.

Jeanne : Exact ! Une forme de *closure* !

Moi : Hein ?

Katherine : Tu ne sais pas ce que ça veut dire ?

Moi : Est-ce que j'ai l'air de comprendre l'anglais ?

La première cloche a sonné et nous avons pris le chemin de notre classe de mathématiques. J'ai remarqué qu'Alex avait encore l'air surpris par mon aveu, mais je n'ai pas trop compris ce qui le choquait tellement. Après tout, il était d'accord avec les autres pour que je m'amuse en fin de semaine.

Katherine (en entrant dans la classe) : J'espère que le prof n'aura pas déjà corrigé les examens. Je ne suis pas prête à recevoir ma note.

Moi (en devenant blême) : OH! J'avais oublié cette histoire de sinusite.

Quand le cours a commencé, le prof nous a annoncé qu'il avait nos copies, et qu'il n'était pas satisfait de la moyenne (63 %). Mon cœur battait tellement fort que j'avais l'impression qu'il allait me sortir de la poitrine. Quand il m'a finalement remis ma copie et que j'ai vu ma note, j'ai senti des larmes monter à mes yeux.

« 56 %. Je t'ai sentie distraite. Tu dois te préparer davantage. »

J'ai l'habitude d'être poche en anglais, mais c'est la première fois que je coule un examen, et je ne peux pas dire que ça me fait sentir très bien. Non seulement je suis déçue, mais j'appréhende déjà la réaction de mes parents. On se rappelle qu'ils sont tendus depuis quelques semaines, et qu'ils s'attendent à ce que je redouble d'efforts cette année. On peut dire que c'est raté.

Après le cours, mes amis, qui n'ont pas eux non plus pété des scores, mais qui se sont au moins arrangés pour obtenir la note de passage, ont tout fait pour me remonter le moral.

Katherine : Tu pourras te rattraper au prochain exam.

Jeanne : Je t'aiderai à étudier, si tu veux.

Éloi : Moi aussi ! Je suis sûr qu'on te distraira moins qu'Olivier.

Moi : C'est gentil. Je ne dirai pas non à votre offre.

À l'heure du lunch, ils ont essayé de me changer les idées en me racontant des histoires honteuses, mais ça n'a pas vraiment marché. On dirait je n'arrivais pas à me sortir mon échec de la tête. J'ai cherché Olivier des yeux, mais je ne l'ai vu nulle part. En plus, j'avais l'impression qu'il me fuyait depuis le matin. Bon mardi, Léa !

À la fin de la pause du midi, j'ai fait un arrêt à la salle de bains des filles. J'étais dans une cabine quand Lydia et Maude sont arrivées et se sont installées devant le miroir. J'ai tout de suite reconnu leurs voix énervantes.

Lydia : Alors, c'était comment, ce matin ?

Maude : De quoi tu parles ?

Lydia : Ben là, de revoir Olivier ! Lui avais-tu reparlé depuis samedi ?

Hein ? Qu'est-ce qui s'est passé samedi ? J'ai retenu mon souffle et j'ai tendu l'oreille.

Maude : Je lui ai texté dimanche pour le remercier pour la belle journée.

Lydia : Et ?

Maude : Et quoi ?

Lydia : Tu ne l'as pas remercié pour le reste ? Il me semble que c'est ce qui compte le plus !

Le reste ? Quel reste ?

Maude : Niaiseuse ! Non, je ne voulais pas parler de ça par textos ! Mais il m'a répondu qu'il s'était beaucoup amusé, lui aussi. Peux-tu croire que c'était la première fois qu'il allait à La Ronde ?

Le traître ! Il est allé à La Ronde avec Maude.

Lydia : Et c'était comment, ce matin ? Est-ce que c'était bizarre de vous revoir ?

Maude : Pourquoi ce serait bizarre ?

Lydia : Ben, je ne sais pas... C'est la première fois depuis que vous vous êtes embrassés ! Tu devais être nerveuse.

Aïe. Mon cœur s'est arrêté de battre pendant quelques instants, et j'ai senti un poing dans mon estomac. Il avait embrassé Maude à La Ronde. C'était pour ça qu'il était bizarre ce matin et qu'il me fuyait depuis mon arrivée. Il jouait avec moi. C'était le pire crosseur que la Terre ait porté.

Maude : Je ne suis jamais nerveuse, ma chérie. Je domine les gars, alors ce sont eux qui sont nerveux.

Grrr. Elle m'énerve tellement.

Lydia : Et il t'a embrassée aujourd'hui ?
Maude : Non. Il a l'air pogné, un peu. Ce doit être à cause de Léa. Je pense qu'elle se fait des idées à propos d'eux, alors il ne veut sûrement pas la blesser, mais si ce n'était que de moi, on se *frencherait* devant elle pour qu'elle comprenne le message et qu'elle décolle !

Elles ont ramassé leurs affaires et sont sorties de la salle de bains. Je suis allée m'asperger le visage avec de l'eau froide pour reprendre mes esprits. Résumons la situation :

1. C'est mardi et je suis déprimée parce que je viens de quitter ma *best*.
2. J'ai coulé mon examen de maths et je sais que mes parents vont capoter.
3. Mon *kick*, qui m'a embrassée en cachette à plusieurs reprises, est allé à La Ronde avec ma pire ennemie en fin de semaine, et il l'a embrassée, elle aussi.
4. Est-ce que tu as déjà connu une journée aussi nulle dans ta vie ?

J'ai passé le reste de l'après-midi le nez penché dans mes livres. Je n'avais pas envie de raconter ce que je venais d'apprendre à qui que ce soit (j'avais trop honte), ni de croiser le regard d'Olivier ou de Maude. Après l'école, j'ai dit à mes amis que je devais rentrer chez moi pour un truc de famille, et je suis enfermée dans ma chambre depuis quarante minutes. Non seulement je rage à l'intérieur, mais en plus, je dois annoncer à mes parents que j'ai coulé un examen. Je capote. D'ailleurs, je dois te laisser, car ils viennent de rentrer du travail. Je te redonne des nouvelles dès que je peux.

Tu me manques déjà follement !
Léa xox

📱 **15-10 07 h 33**

Léa? T'es où? Je t'ai appelée mille fois sur ton cell hier sans réponse! Je veux m'assurer que tout va bien.

📱 **15-10 07 h 35**

Excuse-moi! Quand mes parents ont su que j'avais coulé mon examen, ils ont décidé de me confisquer mon cellulaire. ☹ C'était ça ou mon ordi! C'est tellement injuste!

📱 **15-10 07 h 36**

Ah, non! C'est ben poche! Mais comment fais-tu pour texter, alors? Tu l'as repris sans qu'ils sachent?

📱 **15-10 07 h 37**

Non! Je n'oserais jamais! J'ai réussi à les convaincre de prendre mes textos ce matin pour t'expliquer la situation. Mais après ça, c'est *adiós* le cellulaire!

📱 **15-10 07 h 39**

Jusqu'à quand?

📱 15-10 07 h 40

Jusqu'à ce que «mes notes remontent». ☹ Ils voulaient même engager un tuteur, mais je leur ai assuré que j'étais encore capable d'étudier toute seule, ou avec l'aide de mes amis.

📱 15-10 07 h 41

Pauvre toi! ☹ J'espère que ça va s'arranger!

📱 15-10 07 h 41

Et comble du malheur: je dois maintenant me rendre à l'école et affronter Maude et Olivier.

📱 15-10 07 h 42

Parlant de ça, je pense que tu devrais en parler à ta gang. Tu as besoin de leur soutien.

📱 15-10 07 h 43

Ouais, t'as raison. Mais on dirait qu'hier j'avais trop honte. Je me sentais tellement cruche d'être tombée dans le piège... Grrr. Je hais les gars, Lou! Je fais maintenant partie du même club que Katherine et Laurie.

📱 **15-10 07 h 45**

Justement! Katherine va t'aider à te défouler!

📱 **15-10 07 h 46**

OK. Je te tiens au courant. Je dois te laisser, car je dois remettre mon cellulaire à mes parents. Grrr puissance 1000!

📱 **15-10 07 h 46**

Courage! JTM!

📱 **15-10 07 h 46**

JTM aussi! xox

Jeudi 16 octobre

Jeanne (en ligne): Léa! T'es partie trop vite après l'école. Tu n'as pas eu le temps de me raconter comment s'est passée ta confrontation avec Olivier.

18 h 49

Léa (en ligne): Je m'excuse. J'avais donné un rendez-vous Skype avec Marilou; comme je n'ai plus de cellulaire, ça devient plus difficile de se joindre! Je m'apprêtais justement à lui faire un résumé de la situation. Attends, je l'invite à se joindre à la nôtre.

Marilou vient de se joindre à la conversation

18 h 50

Marilou (en ligne): Salut, Jeanne! Trop contente de te parler.

18 h 50

Jeanne (en ligne): Moi aussi! Ça fait longtemps! Il faut que tu viennes nous visiter bientôt.

18 h 51

Marilou (en ligne): C'est sûr que oui! En plus, je viens d'apprendre que One Direction allait faire un spectacle à Montréal à la fin novembre, alors c'est sûr que vous allez me voir débarquer. Et ça me permettra de crever les pneus du vélo d'Olivier en même temps. Il le mérite après ce qu'il a fait à Léa!

18 h 52

Jeanne (en ligne): OH! J'embarque! Et c'est sûr que Katherine va vouloir participer.

18 h 52

Léa (en ligne): Notre amie Laurie aussi, mais j'ai presque peur pour Olivier, si on la mêle à ça. Lol!

18 h 53

Marilou (en ligne): Faites-moi juste un mini résumé avant de commencer. Jeanne, quand l'as-tu appris?

Jeanne (en ligne): Hier. Léa avait l'air tellement à l'envers qu'on se doutait bien que ce n'était pas juste à cause de son exam de maths et de son truc de cellulaire. Alex soupçonnait que c'était à cause de son *french* avec Thomas, mais comme Léa fuyait Olivier comme la peste, Kath et moi avons vite compris qu'il était en cause.

18 h 55

Léa (en ligne): Et quand j'ai vu Olivier s'asseoir avec Maude à l'heure du dîner, j'ai craqué. Je suis allée pleurer dans la salle de bains, et les filles m'ont suivie. Puis je leur ai raconté la conversation que j'avais surprise entre Lydia et Maude mardi...

18 h 55

Marilou (en ligne): Et tu n'as pas parlé à Olivier depuis mardi? Il n'a même pas cherché à savoir comment tu allais?

Léa (en ligne): Oui, oui. Comme je te l'avais déjà raconté, mardi, il avait l'air vraiment mal à l'aise (j'ai ensuite compris pourquoi), mais depuis mercredi matin, je vois bien qu'il essaie de créer des rapprochements, mais je le fuis dès qu'il approche.

18 h 57

Jeanne (en ligne): Katherine et moi lui avons dit qu'il fallait absolument qu'elle l'affronte, et c'est ce qui est arrivé aujourd'hui après l'école, mais je n'ai pas les détails!

18 h 57

Marilou (en ligne): OH! Raconte-nous, Léa!

18 h 58

Léa (en ligne): Tout a commencé ce midi. On avait une réunion pour le journal, et comme j'ai eu la mauvaise idée de le faire intégrer dans l'équipe, il était présent. J'ai passé trente minutes le nez plongé dans mon cahier de notes pour éviter son regard, mais à la fin de la rencontre, il est venu me voir.

Marilou (en ligne): Pour te demander pourquoi tu le fuyais?

19 h 01

Léa (en ligne): Il s'est d'abord excusé pour son attitude de mardi. Il m'a dit qu'il ne filait pas, et qu'il n'avait pas fait exprès d'être froid avec moi (mon œil). Il m'a ensuite demandé si c'était pour ça que j'étais bête avec lui. J'ai répondu non, et je suis partie sans me retourner.

19 h 01

Jeanne (en ligne): Ah! C'est pour ça qu'il était gossant comme ça pendant les cours de sciences et d'éducation physique. Il essayait d'attirer ton attention à tout prix.

19 h 02

Léa (en ligne): Ouais... Il cherchait des explications et je lui en ai donné après les cours. Je m'apprêtais à partir de l'école (mes parents exigent que je passe quatre-vingts pour cent de mon temps libre devant mes livres cette semaine) quand on s'est croisés aux casiers.

Marilou (en ligne): Maude n'était pas là, au moins?

Léa (en ligne): Non, elle avait une répétition pour le défilé de mode (oui, madame-parfaite-qui-*frenche*-mon-*kick* est aussi dans le défilé de mode!). Bref, il m'a demandé si j'avais envie d'aller me balader avec lui, mais on sait bien qu'au fond, il cherchait juste à me torpiller la face! Il est vraiment croche, ce gars-là! Et c'est là que j'ai éclaté!

Jeanne (en ligne): Tant mieux! Qu'est-ce que tu lui as dit?

Léa (en ligne): Je l'ai regardé dans les yeux et j'ai dit: «Non, Olivier, je n'ai pas envie d'aller me balader avec toi. Je ne sais pas pour qui tu me prends, mais je ne suis pas un bouche-trou qui te sert de divertissement quand Maude est occupée. Je sais que tu l'as embrassée. Tu es vraiment le pire des crosseurs! Et dire que je t'ai défendu devant mes amis. Je ne veux plus te voir ni te parler. Tu peux aller te faire torpiller tout seul!»

19 h 07

Marilou (en ligne): WOW!

19 h 07

Jeanne (en ligne): BRAVO!! Trop cool! Bien envoyé!

19 h 07

Marilou (en ligne): Il le méritait tellement!

19 h 08

Jeanne (en ligne): Mets-en! Et il t'a répondu quelque chose?

19 h 09

Léa (en ligne): Je ne lui ai pas laissé le temps. J'ai tourné les talons et je suis partie très vite. J'avoue que ça me remonte un peu le moral de lui avoir dit ma façon de penser.

19 h 10

Marilou (en ligne): On est très fières de toi, Léa! ☺

Léa (en ligne): Merci, les filles! Bon, je dois déjà filer. Mes parents m'attendent pour souper, et ensuite je dois réviser mes maths et mon anglais avec mon père (zzz). Jeanne, je te vois demain! Et Lou, écris-moi dès que tu peux pour me faire un résumé de ce qui se passe chez toi depuis mon départ. Sans cellulaire, je me sens déconnectée!

19 h 12

Marilou (en ligne): Promis! Bonne soirée, les filles! xxx

Marilou s'est déconnectée

19 h 13

Jeanne (en ligne): À demain! Si tu veux, on ira manger au café. Ça va nous permettre de potiner en toute liberté.

19 h 13

Léa (en ligne): Dac! xox

19 h 13

Jeanne (en ligne): xxx

À : Léa_jaime@mail.com
De : Marilou33@mail.com
Date : Samedi 18 octobre, 11 h 24
Objet : La vie sans Léa

Salut ! J'espère que les choses ne sont pas trop tendues à la maison, et que tu t'en sors à l'école, même si tu es coincée entre Maude et Olivier aux casiers.

Ici, les choses vont toujours aussi bien entre JP et moi (je sais que tu ris intérieurement en me traitant de petit canard en ce moment), mais tout le monde me semble bizarre autour de nous.

Depuis le party de Seb, j'ai l'impression que Laurie est un peu mal à l'aise. Peut-être se sent-elle gênée qu'on l'ait surprise avec Christian ? Il m'a dit qu'il ne lui avait pas reparlé depuis la fête, mais j'ai intercepté de drôles de regards entre les deux. Peut-être que Laurie regrette, ou que Christian souhaite qu'elle veuille sortir avec lui ? Je suis tellement curieuse, mais personne ne répond à mes questions.

Steph aussi est bizarre depuis quelques jours. J'ai voulu organiser un truc hier soir chez JP avec Seb et elle, mais elle m'a dit qu'elle ne pouvait pas parce qu'elle avait un rendez-vous chez le dentiste. Euh ! Qui a un rendez-vous chez le dentiste un vendredi soir ? Je l'ai aussi sentie distante toute la semaine. ☹ Penses-tu que je l'énerve ?

Peut-être que je lui tape sur les nerfs avec mes histoires de petit canard et de petit lapin ? Ou alors ce n'est que mon imagination ?

J'ai aussi eu la « chance » de croiser Thomas avec Sarah Beaupré. J'hésitais à t'en parler, parce que tu connais une semaine difficile, mais comme tu m'as répété mille fois que ça ne t'affectait pas du tout, alors je me lance. Quand je les ai vus mardi, il la serrait dans ses bras. Tu comprendras que j'ai eu un petit mouvement de recul après la scène de samedi soir, et quand les yeux de Thomas ont croisé les miens, j'ai vu la panique dans son regard. Apparemment, il avait peur que je dise tout à sa blonde.

J'en ai parlé à JP, parce que je ne comprenais pas pourquoi Thomas s'obstinait à rester avec elle s'il pensait autant à toi et s'il arrivait à la tromper sans trop de scrupules. Il m'a dit que c'était super compliqué et que tu aurais toujours une place dans le cœur de Thomas, mais qu'il réalisait aussi que Sarah tenait à lui et qu'il voulait donner une autre chance à son couple. BEURK ! Je peux te dire qu'après l'avoir vu à tes trousses en fin de semaine, je n'en crois pas un mot. Selon moi, il est juste vraiment trouillard et il n'ose pas assumer les conséquences de son geste. C'est beaucoup plus facile de rester avec Sarah et de lui cacher votre baiser que de lui avouer ce qui s'est passé et de devoir affronter sa réaction, et possiblement leur rupture. Conclusion : Thomas me décourage et je suis vraiment contente que ce soit officiellement terminé pour la vie entre vous. Tu mérites mieux que lui, et certainement mieux qu'Olivier. Ce qu'il te faudrait, c'est un doux mélange d'Alex et d'Éloi. Lol !

Bon, je dois déjà filer, car j'ai un entraînement à la piscine cet après-midi. J'espère que tout va bien de ton côté et que tu pourras me répondre très bientôt.

Je m'ennuie de toi ! La vie sans Léa, c'est plate !
Lou xox

P.-S. : Je sais que ce n'est pas le moment de demander une faveur à tes parents, mais les billets pour One Direction seront mis en vente mercredi matin. Je m'occupe de nous les procurer (mes parents me les offrent pour me remercier de toutes mes journées de gardiennage ! !), mais j'aimerais mieux y aller avec toi qu'avec Félix ! Lol !

À : Marilou33@mail.com
De : Léa_jaime@mail.com
Date : Dimanche 19 octobre, 20 h 24
Objet : Une lueur d'espoir !

Coucou, Lou !
Je suis contente de lire ton courriel, même si ça me déprime un peu de penser que même Thomas est en train de reprendre son petit train-train avec sa blonde,

alors que moi, je vis un désastre ici. Ne va pas croire que c'est parce que je l'aime encore; c'est simplement que j'ai le moral un peu à plat depuis mon retour et que j'aurais aimé qu'il me vénère autant que la fin de semaine dernière. Et les petits regards de chien battu que m'envoie Olivier depuis que je l'ai envoyé paître (oui, je reste polie) ne me remontent pas vraiment le moral. C'est bizarre, parce qu'on dirait que tout arrive toujours en même temps, et que quand ça va bien, ça va SUPER bien, mais que quand ça va mal, ça ne pourrait pas aller plus mal. Lol! Je vis des montagnes russes, ces temps-ci!

Au moins, ma fin de semaine s'est révélée plus agréable que je ne l'appréhendais. J'ai décidé de passer du temps en famille pour amadouer mes parents et pour qu'ils réalisent qu'ils pouvaient à nouveau me faire confiance. Hier, je les ai même accompagnés au cinéma pour voir un film français, et ensuite, Félix s'est joint à nous pour souper. Aujourd'hui, j'ai aidé ma mère à faire le ménage des garde-robes, et mon père a passé une heure à me faire réviser mes verbes d'anglais. C'est finalement à l'heure du souper qu'on a pu réaborder le thème de mon cellulaire, de mon échec en maths... et du spectacle de One Direction. Et surprise : il y a une lueur d'espoir!

Ma mère (en me servant une assiette de spaghettis) : Je suis contente que tu aies passé la fin de semaine avec nous, Léa. Il me semble que ça faisait longtemps qu'on n'avait pas passé autant de temps de qualité ensemble.

Moi : Je sais... Moi aussi, ça me manquait.

Félix : Pfff. Téteuse !

Moi : Rapport !

Félix : Tu vas me dire que tu ne tètes pas les parents pour ravoir ton cellulaire ?

Mes parents m'ont regardée attentivement. Je pouvais voir une lueur d'amusement dans leurs yeux. Apparemment, c'est hilarant de me voir souffrir.

Moi : Non. Je pense que je mérite une conséquence après l'histoire des coussinus, et je veux qu'ils réalisent que je suis digne de confiance, et que je n'ai pas échoué parce que je n'ai pas étudié.

Ma mère : On le sait, chérie. On t'a vue étudier pour l'examen... Le problème, c'est plutôt que tu mets beaucoup trop d'énergie ailleurs, et on veut s'assurer que tu reprendras le contrôle de tes notes. Tu sais, c'est important le secondaire...

Moi (en l'interrompant) : Je sais que c'est important, le secondaire 4. Mais l'examen comptait seulement pour 20 %, alors je peux me reprendre.

Mon père : On le sait, Léa, mais c'est notre travail en tant que parents de nous assurer que tu réussis et que tu mets tes énergies à la bonne place.

Moi : Est-ce que ça veut dire que je suis privée de sortie ?

Mon père : Non. Ça veut dire que tu dois t'arranger pour consacrer plus de temps à tes études qu'à ton cellulaire, qu'à ton ordinateur et qu'aux garçons.

Moi : Pfff. De toute façon, il n'y a aucun garçon dans ma vie.

Félix : Ce n'est pas ce qu'Éloi m'a dit !

J'ai donné un coup de pied à Félix sous la table, et il a grimacé.

Moi (en changeant rapidement de sujet) : Et si j'obtiens de bonnes notes aux prochaines évaluations, est-ce que ça veut dire que vous pourriez m'encourager de façon stimulante ?

Ma mère : Tu veux dire en te remettant ton cellulaire ? On t'a déjà dit que c'était une mesure temporaire, Léa.

Moi : Euh ! Non. Je parlais plutôt d'une sorte de récompense.

Félix : Comment ça, une récompense ? Je n'ai jamais eu ça, moi !

Moi : Toi, tu utilises leur voiture tous les soirs, alors tu es mal placé pour te plaindre.

Mon père (en haussant un sourcil) : Qu'entends-tu par « récompense » ?

Moi (en prenant une grande inspiration) : Euh ! Ben... Les parents de Marilou lui offrent des billets pour aller voir One Direction au Centre Bell à la fin novembre, et elle aimerait bien que je l'accompagne.

Félix : Ark ! One Direction !

Moi : Ils sont pas mal plus talentueux que toi !

Félix (en se levant et en posant ses mains sur son visage) : OH ! MON ! DIEU ! C'est Harry ! Il est tellement beau ! ! ! (En adoptant une autre voix de fille) Non ! Moi j'aime mieux Zayn !

Moi : Pour un gars qui déteste One Direction, je te trouve pas mal informé !

Félix : C'est parce que tu me fais endurer tes conversations avec tes amies.

Mon père : Tut-tut ! Léa, je vais faire une entente avec toi : si tu obtiens plus de 75 % à ton prochain examen de maths, alors tu pourras accompagner Marilou. Sinon, elle ira avec Félix.

Félix : Ark ! Par pitié, pas One Direction !

Moi (en me levant de table et en hurlant de joie) : HOURRA ! YOUPI ! ! Merci, papa chéri !

Félix : Relaxe ! Il faut d'abord que tu obtiennes une bonne note !

Moi (en souriant) : Comme je n'ai plus de vie sociale, je n'ai rien d'autre à faire qu'étudier, alors je sais que j'aurai une bonne note.

Ma mère : On ne t'empêche pas d'avoir une vie sociale, Léa ! On veut juste que tu consacres plus de temps à tes études.

Moi : Je sais, je sais ! Et je vous promets que je vais le faire !

Après le souper, j'ai terminé mon devoir de sciences et d'anglais (oui, je suis devenue *nerd*) et je me suis empressée de t'écrire pour t'annoncer la nouvelle. Je te promets de tout faire pour obtenir une bonne note et pour t'éviter d'endurer un Félix qui hue pendant deux heures ! Lol !

Bon, je te laisse, car je veux aller prendre un bain, mais j'attends de tes nouvelles dès que possible. Tu me diras ce qui se passe entre Christian et Laurie. Selon moi, il se peut qu'ils soient juste mal à l'aise parce qu'on les a surpris ensemble... Tu ne crois pas ? Et c'est peut-être aussi un peu bizarre de se recroiser à l'école et de faire comme si de rien n'était. Je suis bien placée pour le savoir; c'est exactement ce qui s'est produit avec Olivier.

Léa xox

P.-S. : Pour ce qui est de Steph, je crois savoir ce qui ne va pas. Ne t'imagine surtout pas que ç'a un lien avec toi, car ce n'est pas le cas. Au party de Seb, elle m'a laissé comprendre que ça n'allait plus trop bien entre elle et lui, et je pense qu'elle ne savait pas trop comment te l'annoncer puisque tu as l'air super heureuse ces temps-ci. Je te conseille de lui en parler. Je suis sûre que tout va s'arranger. Gros bisous !

À : Léa_jaime@mail.com
De : Olioli@mail.com
Date : Dimanche 19 octobre, 23 h 08
Objet : Désolé...

Salut, Léa.
J'essaie de te joindre sur ton cell depuis des jours, mais comme tu ne veux pas me répondre, je préfère m'y prendre par courriel pour être certain que tu aies mon message.

Je voulais te dire que je suis désolé pour ce qui s'est passé. Je sais que ce n'était pas correct de ma part d'embrasser Maude alors qu'il s'était passé quelque chose entre nous deux, mais on peut dire que j'ai perdu la tête. Je sais qu'il n'y a pas d'excuse, mais Maude peut être très persuasive et je n'ai pas été capable de résister. J'ai été con. Je ne voulais pas te faire de peine. Il y a aussi plein de choses que j'aimerais te dire, mais je préférerais t'en parler de vive voix. Est-ce qu'on peut se parler à l'école, s'il te plaît ? Ou est-ce que tu peux me rappeler sur mon cell ?

Je pense à toi.
Olivier

Mardi 21 octobre

21 h 42

Jeanne (en ligne): Salut! Je te dérange?

21 h 43

Léa (en ligne): Non! J'étais en train de finir mon prochain article pour le journal. J'y parle de mon échec en maths, et de ma motivation à rebondir. Éloi trouvait que c'était un bon angle et que ça allait sûrement motiver ceux à qui ça arrive.

21 h 43

Jeanne (en ligne): Ah! Je pensais que tu allais écrire à propos des gars crosseurs! ;)

21 h 44

Léa (en ligne): NON! Pas de chance que je parle d'Olivier. Je préfère garder mon attitude «tu n'existes pas, alors disparais de ma vie»!

21 h 44

Jeanne (en ligne): Il n'a pas réessayé de te parler depuis son courriel de dimanche?

Léa (en ligne): Ouais, quelques fois, mais je m'arrange pour le fuir, ou alors pour me cacher quand il approche et pour m'asseoir loin de lui en classe.

Jeanne (en ligne): Tu vas faire ça jusqu'à la fin de l'année?

Léa (en ligne): Non! Jusqu'à ce qu'il abandonne! Et tu sais ce qui est bizarre dans tout ça? C'est que Maude est beaucoup moins acharnée depuis que j'ai laissé tomber. Elle m'envoie parfois un petit regard victorieux, car elle croit qu'il l'a choisie, et que c'est pour ça que je l'évite, mais sans plus.

Jeanne (en ligne): Donc, tu penses qu'elle ignore ce qui s'est passé entre vous?

Léa (en ligne): J'en suis certaine. Et comme je ne suis pas ratoureuse comme elle, je n'irai pas m'en vanter. Au fond, je suis en train de me dire qu'elle cherchait plus à m'embêter qu'à sortir avec lui. Et maintenant que je ne suis plus dans la course, elle perd sa motivation.

21 h 49

Jeanne (en ligne): J'avoue que ça lui ressemble. Ah! C'est tellement compliqué, les histoires de gars!

21 h 49

Léa (en ligne): Pas tout le temps! Regarde Éloi et sa blonde! Ou Alex et toi! Ça n'a pas l'air compliqué du tout! OK, vous avez eu de petits problèmes au début de l'année, mais là, c'est réglé, non?

21 h 50

Jeanne (en ligne): Mouais...

21 h 50

Léa (en ligne): Mouais? Ça veut dire quoi, «mouais»?

21 h 50

Jeanne (en ligne): Je ne sais pas trop... Je nous sens un peu à *off* depuis deux semaines.

21 h 51

Léa (en ligne): Hein? Mais ça sort d'où? Pourquoi tu ne m'en as pas parlé?

21 h 51

Jeanne (en ligne): Sérieusement, j'ai d'abord cru qu'il ne s'agissait que d'une mauvaise passe, alors j'ai décidé de ne pas trop m'attarder là-dessus. Mais là, on dirait que ça se concrétise.

21 h 52

Léa (en ligne): Quel est le problème, exactement? Tu le sens distant comme au début de l'année?

21 h 52

Jeanne (en ligne): Le problème, c'est que ça ne vient pas seulement de lui; on dirait que ça clique moins entre nous. Genre, c'est cool si on se voit, mais je ne suis pas déçue si on ne se voit pas. Pendant la longue fin de semaine, je me suis plus ennuyée de toi et de Katherine que de lui...

Léa (en ligne): Ouch! Ouin, c'est vrai que c'est bizarre. Penses-tu que tu l'aimes encore?

21 h 53

Jeanne (en ligne): Je ne sais pas trop. Je l'adore et je tiens à lui, mais mon cœur ne s'affole pas quand il m'embrasse ou qu'il me tient par la main, tu comprends?

21 h 54

Léa (en ligne): Et tu crois que c'est pareil pour lui?

21 h 54

Jeanne (en ligne): C'est dur à dire, car on ne parle pas de ces choses-là, mais comme il n'a pas l'air de se plaindre de la situation, j'ai le *feeling* que oui.

21 h 55

Léa (en ligne): Peut-être que ça va se replacer. Après tout, il y a plein de trucs le *fun* qui s'en viennent. Comme le party d'Halloween de l'école!

Jeanne (en ligne): Ouais, c'est ce que je me dis... Que ça ne sert à rien de paniquer tout de suite. On va laisser aller les choses et voir si ça se replace. Et parlant du party d'Halloween, tu veux toujours te déguiser avec Katherine et moi?

21 h 56

Léa (en ligne): Mets-en! On se déguise en quoi?

21 h 56

Jeanne (en ligne): J'aimais bien l'idée des trois Lara Croft, ou des trois Wonder Woman. Et Katherine nous a offert d'aller nous déguiser chez elle!

21 h 57

Léa (en ligne): J'approuve l'idée du déguisement. Ça va être tellement mieux que mon costume de chat de gouttière de l'an passé!

21 h 57

Jeanne (en ligne): Oui! Ça va être le *fun*! Bon, je te laisse. Je vais aller prendre ma douche. Mais on se voit demain!

21 h 58

Léa (en ligne): Oui! À demain! xxx

À : Léa_jaime@mail.com
De : Marilou33@mail.com
Date : Mercredi 22 octobre, 17 h 14
Objet : Explications !

Coucou !

Merci de m'avoir mis la puce à l'oreille pour Steph. J'avoue que je commençais vraiment à paranoïer. Hier, je lui ai proposé de venir faire un tour chez moi, après l'école, et j'en ai profité pour aborder le sujet avec elle.

Moi : Alors, comment ça va, toi ?

Steph : Pas pire, et toi ? Toujours le parfait amour avec JP ?

Moi (en rougissant) : Oui ! En fait non ! Ou plutôt, on n'est pas ici pour parler de moi.

Steph (l'air confus) : Hein ?

Moi (en la regardant dans les yeux) : Steph, il faut que je te dise quelque chose. Je te trouvais un peu distante depuis quelque temps, et je l'ai dit à Léa, qui m'a dit que tu lui avais dit que ça n'allait pas super bien avec Seb, mais que tu ne voulais pas me le dire.

Steph m'a regardée sans comprendre.

Moi : Pour résumer, qu'est-ce qui ne va pas ?

Steph (en soupirant) : Je ne sais pas... Je ne suis plus sûre d'être en amour avec Seb, je pense.

Moi : Comment ça ?

Steph : Ben... Il m'énerve, des fois.

Moi (en essayant d'être encourageante) : Mais ce sont des choses qui arrivent. JP m'énerve aussi à ses heures.

Steph : Ouais, mais là, c'est plus comme un énervement qui fait que j'ai du mal à le supporter.

Moi (en baissant les yeux) : Je vois...

Steph (en prenant ma main) : Ne fais pas cette face-là ! Ce n'est pas ta faute !

Mon regard a croisé le sien, puis on a éclaté de rire.

Moi : Ben voyons ! C'est quoi, mon problème ! On dirait que tu casses avec moi !

Steph (en riant) : Je pense que tu es déçue parce que tu aimerais que Seb et moi, on reste ensemble et qu'on forme un quatuor d'enfer.

Moi : Mouais... Peut-être. J'aimais ça nous imaginer dans des activités de couples. C'est pas mal plus le *fun* qu'avec Thomas et Sarah Beaupré !

Steph : Je comprends.

Moi : Ouais, mais tu ne vas pas rester avec lui pour me faire plaisir, quand même ! C'est moi qui comprends. Quand j'ai laissé JP avant l'été, je me sentais un peu comme toi.

Steph : Il t'énervait aussi ?

Moi : Tellement ! J'avais toujours l'impression de passer en deuxième !

Steph : Mais est-ce que son comportement t'irritait ?

Moi : Quand il niaisait avec ses amis, oui.

Steph : Et quand il était avec toi ?

Moi : Euh !... Je ne crois pas, non.

Steph : Ça, c'est parce que tu l'aimais encore ! La preuve, c'est que vous êtes revenus ensemble. Moi, je me demande parfois si c'est réparable avec Seb. Il me semble que ce n'est pas normal qu'il me *turn off* autant.

Moi : J'avoue que ça regarde mal. Tu lui en as parlé ?

Steph : Non, mais je pense qu'il le sent. La vérité, c'est que je veux me laisser le temps d'être sûre de mon affaire. Je ne veux pas lui faire de peine pour rien, ou alors casser et le regretter plus tard.

Moi : Je comprends.

Steph : Merci de m'écouter.

Moi : Tu sais, même si j'ai l'air dans ma bulle avec JP, je veux que tu te sentes à l'aise de me parler de tes problèmes avec Seb. Je suis toujours là pour toi, OK ?

Steph (en souriant) : OK. Mais ne va pas croire que je ne t'en parlais pas parce que je pensais que tu ne serais pas là pour moi ; c'était simplement parce que je ne voulais pas que tu sois déçue.

Moi : C'est gentil, mais on s'en fout que je sois déçue. Ce que je veux, c'est que tu sois heureuse. Et si tu décides de casser avec Seb, je vais être là pour toi.

Après ça, on s'est mises à potiner à propos de Laurie et Christian. Steph est d'accord pour dire que Laurie est vraiment bizarre depuis le party de Seb, et on n'arrive pas à savoir pourquoi. J'ai essayé de lui poser des questions, mais elle dit que c'est mon imagination, et qu'elle se sent plus féministe que jamais.

Et toi ? Comment se passe ta semaine à l'école ? Es-tu toujours aussi *nerd* ? J'espère que oui, parce que même si j'ai longtemps tripé sur ton frère, je ne m'imagine vraiment pas en train de lui expliquer en quoi Harry est le plus beau gars de l'univers pendant qu'il fait la gueule parce qu'il préférerait être dans un bar plutôt qu'au Centre Bell !

Et est-ce qu'Olivier t'a relancée depuis le courriel que tu m'as lu au téléphone ? Donne-moi vite des nouvelles !
Lou xox

À : Marilou33@mail.com
De : Léa_jaime@mail.com
Date : Jeudi 23 octobre, 19 h 14
Objet : *BLANK!*

Salut !
Ouais, eh bien, c'est confirmé : quand ça va mal, ça va mal ! Tout d'abord, pour répondre à ta question, oui, Olivier a essayé de s'expliquer avec moi tout au long de la semaine, et j'avais réussi à l'éviter jusqu'à ce matin. J'étais en train de prendre mes livres dans mon casier quand il s'est posté derrière moi.

Olivier : Je ne te laisse pas passer tant que tu ne t'expliqueras pas avec moi.

Moi : Je n'ai rien à ajouter, Olivier, à part que j'ai eu tort de te faire confiance, et que je te souhaite beaucoup de bonheur avec Maude.

Olivier : Mais tu capotes pour rien ! J'avoue qu'on s'est embrassés à La Ronde, mais je lui ai à peine parlé depuis. Si tu prenais tes messages vocaux, tu le saurais.

Moi : Ça ne m'intéresse pas de savoir ce que tu fais ou pas avec elle.

Olivier : Mais je ne fais RIEN avec elle. Elle ne m'intéresse pas. C'est toi qui m'intéresses.

Moi (en m'approchant de lui d'un air menaçant) : Ne viens pas me faire croire que je t'intéresse. Tu te cachais pour m'embrasser, et dès qu'on arrivait à l'école, tu me traitais comme si j'étais une coquerelle ambulante !

Olivier : Je t'ai dit que j'étais gêné en public, Léa ! Et j'avoue aussi que je ne voulais pas m'afficher devant le monde tant que je n'étais pas sûr de mon affaire.

Moi (en haussant le ton) : Ah, OK ! Et tu as eu besoin de *frencher* ma pire ennemie pour en être certain ? Arrête de parler, Olivier. Tu fais juste empirer la situation !

Maude s'est pointée à son casier à cet instant même.

Maude (en me dévisageant) : Pourquoi tu cries comme une hystérique ? Tu veux qu'Olivier te donne plus d'attention ?

Moi (en refermant mon casier et en me tournant vers elle) : Non, Maude. Je n'en veux pas, d'Olivier. Il est tout à toi. Et il te mérite bien.

Maude : C'est quoi, ton problème ? Tu es frustrée parce qu'on s'est embrassés ? Relaxe, Léa ! Ce n'est pas ma faute si tu as été trop pognée pour t'y prendre avant !

Olivier : Maude, lâche Léa, OK ! Elle est tout sauf pognée.

J'ai regardé Olivier d'un air surpris. J'avoue que je ne m'attendais pas à ce qu'il prenne ma défense devant elle. J'ai jeté un coup d'œil vers Maude, qui était pourpre.

Maude : Tu vas vraiment prendre SA défense après ce qui s'est passé entre nous deux ?

Comme je n'avais aucune envie de les entendre parler de leurs ébats amoureux, je suis partie vers la classe d'anglais sans me retourner.

Alex m'a rejointe quelques mètres plus loin.

Alex : Qu'est-ce qui se passe ? Je t'ai entendue te chicaner avec Maude et Olivier.

Moi : Bof. J'aime autant ne pas en parler. Je hais les gars, en ce moment.

Alex m'a fait une face de chien battu.

Moi (en prenant son bras) : Mais non, pas toi ! Toi, tu es... invincible.
Alex : Cool ! Et tu sais quoi, Léa ? Olivier, c'est un con ! Je le dis depuis le début.

J'ai souri et je me suis installée à mon bureau. Quand Olivier est entré dans la classe, il a déposé un petit bout de papier sur ma table.

Peux-tu au moins prendre tes messages, s'il te plaît ?

Je n'avais pas envie de lui répondre que non, je ne pouvais pas prendre mes messages, parce que ma vie allait tellement mal en ce moment que mes parents m'avaient confisqué mon cellulaire.

Alex m'a demandé ce que disait le message à voix basse, et je lui ai répondu de laisser tomber, car ce n'était pas important. Il a jeté un regard noir à Olivier. J'avoue que j'aime bien qu'Alex me protège comme ça. Ça me fait sentir moins seule au monde, et ça me prouve que sa relation avec Jeanne n'enlève rien à l'importance que j'ai dans sa vie.

Parlant de Jeanne, elle m'a dit que ça n'allait pas *full* bien entre elle et Alex. Genre, qu'elle ne ressent plus de papillons quand elle est avec lui. En fait, ça me fait beaucoup penser à Steph et Seb, et je trouve aussi que ça regarde mal. Je souhaite sincèrement qu'ils soient heureux, mais j'avoue qu'une petite partie de moi espère que leur éventuelle rupture ne vienne pas affecter notre groupe d'amis.

Pour en revenir au cours d'anglais, Jeanne et moi devions présenter aujourd'hui un petit sketch à propos de l'Halloween. Heureusement pour moi, Jeanne avait écrit le texte, et je n'avais eu qu'à l'apprendre par cœur, mais à la fin de notre présentation, j'ai eu un trou de mémoire. ☹ Il ne me restait qu'une réplique à dire, et je ne savais plus du tout ce que c'était.

Jeanne me regardait d'un drôle d'air. Je voyais qu'elle essayait de me souffler ma réplique, mais je n'arrivais pas à comprendre. Au bout d'un moment, les nunuches ont commencé à rire et madame Potter s'est impatientée.

Madame Potter : *Léa? What's wrong?*
Moi : *Euh! I have... a... blank?*
Madame Potter (en souriant) : *Good work!*

Je ne savais pas si elle se moquait de moi ou si elle était sérieuse, mais j'ai rapidement réalisé qu'elle était sincèrement impressionnée que je connaisse le mot « *blank* », et que j'aie pu l'utiliser pour expliquer mon trou de mémoire.

Moi : *Euh! Thanks. But... Euh!*
Maude : Euh !, quoi, la tomate ? Accouche !

La classe s'est mise à rire, mais madame Potter s'est tournée vers Maude d'un air mécontent.

Madame Potter : Maude ! Jé t'ai déjà dit de pas rire des autwes en classe. Va vouar le director !

Maude s'est levée d'un air offusqué et m'a regardée avec des fusils dans les yeux. Même si je savais déjà qu'elle allait chercher à se venger, j'étais vraiment contente que la prof vienne à mon secours. À mon grand soulagement, madame Potter nous a ensuite invitées à nous rasseoir, et je n'ai pas eu à improviser quelque chose. Je n'aurai ma note que lundi, mais j'espère que mon *blank* de cerveau ne va pas me nuire autant que mon pet. Tu sais à quel point je dois avoir de bonnes notes ces temps-ci.

Qu'as-tu prévu faire en fin de semaine ? De mon côté, j'ai promis à Katherine et Jeanne d'aller magasiner des trucs pour notre costume d'Halloween samedi, et pour le reste, c'est plutôt incertain. J'imagine que je passerai encore du temps en famille et dans mes livres pour convaincre mes parents que je me suis convertie en *nerd* responsable. Lol !

Je suis contente que tu te sois expliquée avec Steph. Je pense vraiment qu'elle voulait simplement éviter que tu sois déçue... Tu as l'air tellement heureuse depuis que tu as repris avec JP qu'elle ne voulait pas péter ta bulle.

Bon, je te laisse, mais écris-moi vite !
Léa xox

Chapitre 7 :
La soirée des horreurs

Dimanche 26 octobre

Félix (en ligne): Pourquoi tu ne viens pas déjeuner? T'as trop honte?

10 h 43

Léa (en ligne): Pfff. Honte de quoi?

10 h 43

Félix (en ligne): Honte de t'être fait «carter» hier soir et de ne pas avoir pu entrer dans un bar?

10 h 44

Léa (en ligne): Rapport! Ça ne me tentait pas, de toute façon!

10 h 44

Félix (en ligne): Ah, non? Alors pourquoi as-tu tellement insisté quand nous étions dans la voiture? Tu tenais à ce point à revoir mes amis?

Léa (en ligne): Parce que je voulais te prouver que j'étais capable d'utiliser mon charme et convaincre un videur de me laisser entrer à deux reprises dans le même mois. Je pensais que c'était un don, mais apparemment, ce videur-là était plus bouché que l'autre. En tout cas, désolée d'avoir ruiné ta soirée.

10 h 46

Félix (en ligne): Tu ne l'as pas «ruinée», car j'ai ensuite eu la chance de te battre à la Wii! Mais on peut dire que ce fut une dure soirée pour toi.

10 h 47

Léa (en ligne): Je dirais plutôt que ce fut une dure semaine. Pour ce qui est du bar, je pense que c'est une question de karma. Quand Thomas était en ville, tout allait bien et j'avais le vent dans les voiles, alors qu'hier, tout jouait contre moi. Résultat: il n'a pas cru que j'avais dix-huit ans.

10 h 48

Félix (en ligne): C'est correct, la petite. Ton tour viendra bien assez vite. J'aime autant ne pas t'imaginer dans les bars pour l'instant.

Léa (en ligne): C'est quoi, cette phrase paternaliste ?

Félix (en ligne): C'est ton grand frère qui joue son rôle de protecteur. Ça m'arrive, des fois. Bon, il faut descendre. J'entends papa qui commence à toucher à des chaudrons, et je préfère manger avant qu'il nous propose sa «délicieuse» omelette brune.

Léa (en ligne): Ark ! Bonne idée ! Je te suis !

À : Marilou33@mail.com
De : Léa_jaime@mail.com
Date : Lundi 27 octobre, 20 h 14
Objet : Un lundi en dents de scie

Salut, Lou !
J'espère que tu as passé une belle fin de semaine collée à ton chum. De mon côté, mon samedi soir a été une autre de ces belles soirées mouvementées et désastreuses dignes de Léa Olivier ! Après avoir magasiné mon costume d'Halloween avec les filles (nous avons finalement opté pour des Wonder Woman), je suis allée retrouver mes parents et Félix au restaurant italien près de chez moi. Après le repas, Félix a dit qu'il allait rejoindre ses amis, et comme je n'avais rien de prévu, je l'ai supplié de m'inviter.

Une fois dans la voiture, un de ses amis l'a appelé pour lui dire qu'ils étaient déjà dans un bar. Comme mon expérience passée m'avait mise en confiance et que je me sentais invincible face aux *bouncers* de ce monde, je l'ai convaincu de m'emmener avec lui. Évidemment, comme mon karma est à -20 ces temps-ci, tu te doutes que je n'ai pas eu autant de chance hier qu'avec Thomas.

Le videur (en me regardant de la tête aux pieds) : Ta carte d'identité, s'il te plaît ?

Moi (en faisant un effort pour avoir l'air sûre de moi) :
Je ne l'ai pas sur moi, mais j'ai dix-neuf ans, monsieur.

Le videur (en éclatant de rire) : Si toi tu as dix-neuf ans, alors moi j'en ai quatre-vingts.

Moi : Wow ! Vous ne faites pas votre âge ! Quel est votre secret ?

Le videur (en fronçant les sourcils) : Je vais te demander de quitter les lieux sans faire d'histoire. Pas de carte, pas d'entrée.

Moi : Euh ! Attendez ! Et si j'allais chercher des biscuits et du chocolat chaud, est-ce que vous me laisseriez entrer ?

Le videur (en se renfrognant encore plus) : Est-ce que tu essaies de me soudoyer, la jeune ? Parce que ça ne marche pas avec moi, ces choses-là.

Moi : Euh ! Non, non. C'est juste que vous avez l'air tendu, et je voulais vous offrir un remontant.

Le videur : Si tu veux m'offrir un remontant, trouve-moi de la vodka.

Moi : J'aimerais ça, mais je ne peux pas.

Le videur : Pourquoi ?

Moi : Parce que je n'ai pas dix-huit ans.

ÉPAISSE ! ! ! ! !

Le videur (en me souriant comme si j'étais la pire des cruches) : C'est bien ce que je croyais. Maintenant, je t'inviterais à partir et à revenir dans quelques années quand tu auras l'âge de rentrer ici.

J'ai tourné les talons et j'ai aperçu Félix qui me dévisageait.

Moi : Quoi ? Tu veux en rajouter ?
Félix (en se mordant la joue pour ne pas rire) : Non, non. Je pense que tu as fait du bon travail toute seule.

Je lui ai donné un coup sur l'épaule, puis j'ai soupiré.

Moi : Bon... Tu peux aller rejoindre tes amis, si tu veux.
Félix : Ben oui ! Et qu'est-ce que je vais faire avec toi ? Te laisser dans la rue ?
Moi : Non... Je peux appeler les parents pour qu'ils viennent me chercher.
Félix : Avec quel cellulaire ?
Moi : Argh. Le tien ?
Félix : Non, laisse tomber. Je vais rentrer avec toi. Ça ne me tente pas trop de sortir, de toute façon.
Moi (en touchant le front de Félix) : Ça ne te tente pas de sortir ? Es-tu malade ?
Félix (en marchant vers la voiture) : Non, mais j'ai besoin de *challenge*. On dirait que je sors toujours aux mêmes places et que je rencontre toujours les mêmes filles. J'ai besoin de diversité.
Moi (en m'asseyant dans la voiture) : Pauvre petit ! Tu fais tellement pitié avec ta popularité et les quarante filles qui te tournent autour !

Mes parents ont été plutôt surpris de nous voir rentrer aussi tôt, mais ils n'ont pas posé de questions. J'ai passé le reste de la soirée de samedi et la journée d'hier à me faire battre à la Wii et à faire mes devoirs, et ce matin, j'étais plutôt de bonne humeur en arrivant à l'école. J'ai réussi à ignorer les regards d'Olivier et les remarques désobligeantes de Maude pendant toute la matinée, et les choses ont continué à se dérouler relativement bien en début d'après-midi.

J'ai d'abord appris que j'avais eu 83 % dans une composition en français, et quand je me suis pointée dans mon cours d'anglais, la prof nous a remis nos notes pour nos présentations orales et... roulements de tambour... mon *blank* m'a valu la merveilleuse note de 81 % ! J'ai fait un câlin à Jeanne quand j'ai reçu ma note ! Je sais que je n'y serais jamais arrivée sans son aide.

À la fin du cours, la fille assise devant moi m'a lancé un petit papier plié. Quelqu'un m'avait envoyé un message, et je me doutais bien de qui il s'agissait.

Tu me manques... ☹ *O.*

J'ai levé les yeux vers lui et mon regard a croisé le sien. Je sais qu'il a été con, et même si je lui veux encore beaucoup, je dois avouer qu'il avait l'air sincère. Il avait les yeux tristes, et ça m'a fait tout drôle de le voir comme ça. Quelqu'un a toussoté, et j'ai remarqué que Maude nous épiait. Je me demande si elle sait qu'il me tourne autour à ce point. Tu vas me dire que je pourrais simplement m'en vanter auprès d'elle pour lui faire du mal, et je t'assure que je n'ai pas dit mon dernier mot.

Après l'école, j'ai rejoint Jeanne et Alex près de notre table à pique-nique habituelle.
Alex (en regardant vers la rue) : Marianne a un nouveau chum ?
Jeanne : Non ! C'est son frère Ad...

Jeanne s'est tournée vers moi d'un air livide.

Moi : Oh, non ! La journée allait pourtant si bien.
Maude (en passant près de nous) : Hé, Léa ! T'as vu ? Ton chum du cégep est ici ! Ha ! T'es tellement cruche.
Moi (en serrant les poings) : Pas aussi cruche que toi !
Maude (en s'arrêtant) : Que veux-tu dire, par là ?
Moi : Rien... Mais ça ne t'intrigue pas de savoir pourquoi je ne parle plus à Olivier, ni pourquoi il me court après depuis des semaines ?
Maude : Pfff. Je connais la raison ! Il se sent mal parce qu'il sait que tu l'aimes, mais qu'il sort avec moi.
Moi : Ah, OK. Parce que tu « sors » avec lui, maintenant ? Tu peux bien rire de moi à cause d'Adam, mais tu es encore pire. Tu t'inventes des histoires avec Olivier, et tu te crois toi-même !

Maude (en serrant les poings à son tour) : Je n'invente rien, espèce de tomate farcie.

Moi : Dis ce que tu veux, mais moi, je connais la vérité, espèce d'artichaut pourri !

Jeanne (en s'interposant entre nous deux) : OK, les filles, on se calme. Maude, va rejoindre Marianne, s'il te plaît.

Maude m'a lancé un regard noir, et elle est partie. Je l'ai vue chuchoter quelque chose à l'oreille de Marianne, et les deux se sont tournées vers moi en riant. Adam m'a fait un petit signe de la main, puis ils sont partis tous les trois.

Moi : Grrr. Elle m'énerve ! Ils m'énervent tous !

Alex : Relaxe, Léa. Ne la laisse pas t'atteindre. Elle n'en vaut pas la peine.

Moi : Je sais, mais ça me gosse qu'elle pense que je suis la fille pathétique qui a de la peine parce qu'Olivier l'a *flushée*, alors qu'au fond je sais très bien qu'elle se fait niaiser autant que moi !

Jeanne : Ne t'en fais pas. Tout finit par se savoir.

Moi (en soupirant) : Bon, je vous laisse. Je dois rentrer chez moi.

Alex (en se levant d'un bond) : OH ! Attends, je vais t'accompagner !

Jeanne (en s'activant aussi) : Ouais ! De toute façon, je dois y aller, moi aussi. À demain !

Elle m'a donné des becs sur les joues et a plaqué un petit baiser sec et rapide sur les lèvres d'Alex avant de déguerpir vers l'arrêt d'autobus. Alex et moi avons commencé à marcher en direction du métro.

Moi : Alex, qu'est-ce qui se passe entre Jeanne et toi ?
Alex : Hum ? Je ne vois pas de quoi tu parles.
Moi : Je ne suis pas aveugle, Alex ! Je vois bien que vous ne voulez pas rester seuls.
Alex : Ouais... Je sais. C'est bizarre entre nous depuis quelque temps, et j'ai peur qu'elle me demande des explications si on se retrouve seuls. La vérité, c'est que je ne sais pas quoi répondre.
Moi : Est-ce que tu l'aimes ?
Alex : Euh ! Oui. Mais je ne sais pas si c'est, genre, du vrai amour ou si c'est plus amical...

Je ne voulais pas trahir la confiance de Jeanne, mais je trouvais ça absurde que les deux se posent les mêmes questions sans s'en parler.

Moi : Je peux te donner un conseil ?
Alex : Toujours.
Moi : Je te suggère de lui en parler. Jeanne n'est pas folle ; elle réalise elle aussi qu'il y a quelque chose qui cloche entre vous. Je pense que si vous vous expliquiez, ce serait moins tendu entre vous.
Alex : Mouais, t'as sans doute raison. Pourquoi c'est toujours aussi simple avec toi ?

Moi (en riant) : Crois-moi, Alex. Je suis tout sauf simple. La différence, c'est qu'on ne sort pas ensemble, alors on peut se dire les vraies affaires.

Alex m'a regardée d'un drôle d'air et on a continué à marcher en silence jusqu'au métro.

Moi (après avoir passé les tourniquets) : Bon... On se voit demain ?
Alex : Ouais.

Je me suis approchée de lui pour lui donner un baiser sur la joue, mais il s'est tourné en même temps que moi et nos lèvres se sont frôlées. J'ai immédiatement senti un frisson me parcourir le corps.

Moi (en m'éloignant) : Oups ! Désolée ! Je ne voulais pas...
Alex (en riant nerveusement) : Non, non, c'est beau ! C'est aussi mon erreur.
Moi : Bon... euh ! À demain !
Alex : Léa ?
Moi : Oui.
Alex : Merci.
Moi : Merci pour quoi ?
Alex : Pour être compliquée, mais simple avec moi.
Moi (en souriant) : De rien.

Et je suis partie. Je ne sais pas si tu as compté le nombre de rebondissements dans ma journée, mais comme je suis très forte sur les décomptes, en voici un petit résumé :

1. J'ai obtenu une bonne note en français et en anglais.
2. Olivier m'a écrit qu'il s'ennuyait de moi.
3. Maude m'a traitée de tomate farcie.
4. J'ai revu Adam, le frère de Marianne... La honte.
5. J'ai failli embrasser mon ami Alex sans faire exprès, alors qu'il sort présentement avec ma meilleure amie à Montréal. Bravo, Léa.

J'espère que ton lundi s'est révélé plus tranquille que le mien ! Je me sauve, car mes parents viennent juste de rentrer et je veux leur annoncer mes bonnes notes.

J'ai trop hâte que tu viennes ici !

Léa xox

P.-S. : En quoi te déguises-tu à l'Halloween ?

▢ 28-10 20 h 33

LOU!!! Je capote! Pour me féliciter de mes bonnes notes, mes parents m'ont permis de reprendre possession de mon cellulaire quand je ne suis pas à l'école, et je viens de prendre mes messages. Il y avait huit textos et quatre messages vocaux de la part d'Olivier.

▢ 28-10 20 h 35

J'étais justement en train de répondre à ton courriel d'hier. Bienvenue dans l'univers de la téléphonie. Wow! Ça fait douze messages en tout. Qu'est-ce qu'il raconte?

▢ 28-10 20 h 37

Dans les premiers, il s'excuse et il dit qu'il ne voulait pas me faire de peine, mais qu'il tient à moi, blablabla. Mais dans les derniers, il me fait une sorte de déclaration d'amour!

▢ 28-10 20 h 38

QUOI? Genre?

Genre, son dernier message vocal : « Je n'arrête pas de penser à toi. Laisse-moi une autre chance. » Et son dernier texto (datant d'hier) : « Je crois que je suis amoureux, Léa. Dis-moi ce que je dois faire pour que tu me croies. »

📱 28-10 20 h 39

WOW ! Intense ! Et ça te fait quoi ?

📱 28-10 20 h 39

Plaisir ! Je me sens moins pichou qu'hier !

📱 28-10 20 h 40

Niaiseuse ! Sérieusement, est-ce que ça te fait de l'effet ?

📱 28-10 20 h 41

C'est sûr que ça ne me laisse pas complètement indifférente, mais de là à dire que je suis « amoureuse » de lui...

📱 28-10 20 h 41

OK. Mais est-ce qu'il te plaît encore ?

📱 28-10 20 h 42

Je le trouve encore très *cute*, mais le problème, c'est que je ne crois pas que je puisse lui faire confiance après ce qui s'est passé...

📱 28-10 20 h 41

Mouais... Mais quand tu y penses bien, c'est vrai que «vous ne sortiez pas ensemble».

📱 28-10 20 h 42

Et ça lui donne la permission d'embrasser ma pire ennemie?

📱 28-10 20 h 43

En tout cas, ça ne t'a pas empêchée d'embrasser ton ex!

📱 28-10 20 h 44

Aïe! Touché! Mouais... Je vais réfléchir à tout ça. Pour l'instant, je dois me concentrer sur mes maths. J'ai un examen vendredi, qui compte pour 20 % lui aussi, alors si j'ai une bonne note, ça «annulera» l'autre.

📱 **28-10 20 h 45**
....

Ouais, et si tu as une bonne note, tu pourras aller voir One Direction avec moi!

📱 **28-10 20 h 45**
....

Je sais! Alors tu comprends l'importance de cet exam!

📱 **28-10 20 h 46**
....

Félix et ton père t'aident à réviser?

📱 **28-10 20 h 46**
....

Ouais, et j'ai prévu étudier avec Alex demain, après l'école. Il est bollé en maths.

📱 **28-10 20 h 47**
....

OK, mais fais gaffe de ne pas encore l'embrasser «par erreur».

📱 **28-10 20 h 47**
....

Nia! Nia! Ne t'en fais pas! Je ne ferai pas la gaffe deux fois. Heureusement que ça n'a créé aucun malaise entre nous.

📱 **28-10 20 h 48**

Et entre lui et Jeanne?

📱 **28-10 20 h 48**

Toujours aussi bizarre. Ils sont super détendus quand nous sommes en groupe, mais ils évitent de se retrouver seuls. C'est absurde! Et Steph et Seb?

📱 **28-10 20 h 49**

C'est pire: Seb court après Steph, qui le fuit à tout bout de champ. Je lui ai dit de faire attention, et elle m'a dit qu'elle allait prendre le reste de la semaine pour y penser...

📱 **28-10 20 h 50**

Cool! Et Laurie? Toujours aussi bizarre?

📱 **28-10 20 h 51**

Bonne question! Je l'ai à peine croisée depuis la semaine dernière. Madame a décidé de s'impliquer dans les activités parascolaires.

📱 **28-10 20 h 51**

Hum... Peut-être que c'est une façon de stimuler son féminisme?

📱 **28-10 20 h 52**
....

Lol! Peut-être! Mais de toute façon, j'aurai la chance de les voir vendredi pour le super party d'Halloween de l'école.

📱 **28-10 20 h 53**
....

Même chose pour moi! On aura sans doute des tonnes de trucs à se raconter. En quoi te déguises-tu?

📱 **28-10 20 h 53**
....

Si je te le dis, il faut que tu me jures de ne pas te moquer de moi.

📱 **28-10 20 h 54**
....

Promis! C'est quoi?

📱 **28-10 20 h 54**
....

JP et moi avons décidé de nous déguiser ensemble, et nous avons... une thématique.

📱 **28-10 20 h 55**
....

Je ris un peu, mais continue.

📱 **28-10 20 h 55**
....

Ce sont mes parents qui ont trouvé les costumes chez Costco.

📱 **28-10 20 h 56**
....

Ça promet ! Continue.

📱 **28-10 20 h 57**
....

On est dans la thématique alimentaire...

📱 **28-10 20 h 57**
....

Ha, ha, ha ! (Excuse-moi.) CONTINUE !

📱 **28-10 20 h 58**
....

Je suis une carotte, et il est... un éplucheur.

📱 **28-10 20 h 58**
....

...

📱 **28-10 20 h 58**
....

Léa ? Tu ne dis rien ?

📱 **28-10 20 h 58**
....

Je peux ?

28-10 20 h 59

Soupir. Vas-y.

28-10 20 h 59

HAHAHAHAHAHAHAHA !

28-10 21 h 00

Je sais ! C'est la honte ! Mais mes parents étaient tellement fiers de leur achat, et j'ai réussi à persuader JP que c'était *full* viril d'être déguisé en éplucheur de légumes.

28-10 21 h 01

J'exige des photos !

28-10 21 h 01

OK ! Mais tu n'as pas le droit de les utiliser contre moi, ou de me faire honte sur Facebook !

28-10 21 h 02

Je compte déjà sur les amis de JP pour vous humilier sur Facebook !

📱 28-10 21 h 02

Lol! Je sais... Bon, je te laisse à ton étude! Bonne chance! ☺

📱 28-10 21 h 03

Merci! Je t'appelle demain, ma belle carotte! ;)

À : Léa_jaime@mail.com
De : Marilou33@mail.com
Date : Vendredi 31 octobre, 23 h 58
Objet : Quelle soirée !

Léa ! Je viens de sortir de la douche (j'avais le visage orange, et je commençais même à sentir la carotte !) et je voulais te faire un résumé de ma soirée avant de me mettre au lit.

Évidemment, tu te doutes que, quand JP et moi sommes arrivés à l'école pour la danse, nos costumes nous ont valu tout un accueil. Les amis de JP ne se sont pas gênés pour se moquer de lui, et j'ai bien vu qu'il avait un peu honte et qu'il se sentait attaqué dans sa virilité. Quand Thomas (déguisé en rappeur), et sa Sarah Beaupré (déguisée en fée... sans commentaire) sont venus vers nous, j'ai décidé de m'éclipser et de rejoindre mes amies.

Le problème, c'est que je ne les ai trouvées nulle part. J'ai fait le tour du gymnase quatre fois sans les apercevoir.

Je me dirigeais vers la salle de bains quand j'ai aperçu des ombres et entendu des chuchotements provenir des casiers.

Je me suis approchée sur la pointe des pieds, et j'ai vu deux personnes en train de se *frencher*. Comme la fille portait une perruque mauve, je ne l'ai pas reconnue tout de suite, mais quand elle a légèrement tourné son visage vers moi, je suis restée bouche bée. C'était Steph. Et le gars qu'elle *frenchait*... Ce n'était pas Seb. C'était Laurent, un ami de Christian (tu sais, celui qui porte toujours des t-shirts de Nirvana ?).

Moi : Oh !

Steph ne m'a pas reconnue tout de suite.

Steph (en me dévisageant) : Euh ! T'es qui ?
Moi : Euh ! Une carotte ?
Steph (en riant et en se détachant de Laurent) : Marilou ? *My God*, je ne t'avais même pas reconnue ! Ton costume est malade !
Moi : Euh ! OK. merci. Mais est-ce qu'on peut savoir ce que tu fais ?
Steph (en regardant Laurent) : Euh ! Laurent, veux-tu nous laisser, s'il te plaît ?

Laurent a acquiescé et m'a lancé un regard de travers. Il devait être déçu que je vienne gâcher sa séance de *french* avec Steph, mais Seb se trouvait à quelques mètres de là et je voulais surtout éviter un drame !

Moi (en m'approchant de Steph) : Qu'est-ce que tu fais, Steph ?

Elle a soupiré et s'est assise par terre, le dos appuyé contre un casier.

Steph : Je sais que c'est con, mais j'espérais un peu me faire surprendre par Seb.
Moi : Pourquoi ? Tu veux lui faire faire un arrêt cardiaque ?
Steph : Non ! Mais je me suis dit que s'il me voyait... Il ne me pardonnerait pas... et...
Moi : Et qu'il casserait avec toi sans que tu aies à le faire ?
Steph (en baissant les yeux) : Ouais. Je sais que c'est lâche, mais je n'arrive pas à lui dire que c'est fini. Je ne veux pas lui faire de peine.
Moi : Et s'il te surprend avec un autre, tu crois que ça ne lui fera pas de peine ?
Steph : Ouais, je sais. Ça n'a aucun sens, ma théorie. Je vais aller lui parler tout de suite pour lui dire que c'est fini.
Moi (en l'aidant à se relever) : Bonne idée. Dis-toi que c'est comme enlever un pansement, ça fait mal sur le coup, mais c'est vite passé.
Steph : OK. Veux-tu m'accompagner à la salle de bains en premier ? Je veux replacer ma perruque et reprendre mes esprits.

Je me suis dirigée vers les toilettes des filles avec elle.

Moi (en ouvrant la porte) : As-tu vu Laurie ? Je ne sais pas où elle est passée. On dirait qu'elle me fuit depuis quelques semaines.

Steph m'a fait signe de me taire, puis elle a pointé en direction d'une cabine. J'ai baissé la tête et j'ai vu qu'il y avait deux paires de pieds.

Moi (en chuchotant à son oreille) : Il y a un couple dans la cabine ! C'est ben dégueu !
Steph (en chuchotant dans la mienne) : Je reconnais les souliers de ballerine de Laurie. C'est elle qui est dans la cabine.

J'ai écarquillé les yeux et j'ai décidé de m'assumer.

Moi (en frappant à la porte de la cabine) : Laurie ? Laurie ! On sait que tu es là ! Je ne sais pas trop ce que tu fais avec... avec l'autre paire de pieds, mais j'aimerais ça que tu sortes. Tu m'inquiètes !

Laurie a déverrouillé la porte et je l'ai aperçue dans son costume de ballerine. Elle avait les cheveux en bataille. J'ai ouvert la porte plus grande et j'ai aperçu... Christian, qui regardait le plafond, l'air mal à l'aise.

Moi : Christian ? Mais qu'est-ce que tu fais là ? En fait... Tu n'as pas besoin de répondre, je pense que je comprends ce qui se passe.

On est restés silencieux tous les quatre pendant quelques secondes.

Christian : Bon... Euh ! Comme c'est les toilettes des filles, je vais vous laisser. Laurie, on se revoit dans le gymnase ?
Laurie (en le regardant d'un drôle d'air) : Euh ! Ouais, ouais, à tantôt.

Christian est parti, et Steph et moi avons confronté Laurie à ses actes.

Moi : Qu'est-ce qui se passe Laurie ? Pourquoi tu nous fuis depuis des semaines ? Et pourquoi tu te sens obligée de *frencher* Christian en cachette dans les toilettes des filles ?
Laurie : Parce que je ne voulais pas que vous le sachiez.
Steph : Qu'on sache quoi ?
Laurie : Que Christian et moi... On se fréquente, genre. C'est pour ça que je vous fuis. C'est pour passer du temps avec lui... en cachette.
Moi : Mais pourquoi en cachette ? Je suis contente que ça clique entre vous. C'est même moi qui ai essayé de vous *matcher* au départ.

Laurie (en soupirant): Parce que si j'assume cette relation, ça veut dire que c'est vrai, et que je ne suis pas fidèle à mes propres principes.

Steph et moi l'avons regardée d'un air perplexe.

Laurie: Ben là! Tous mes discours sur le féminisme et l'introspection. Tout ça part en fumée si je sors publiquement avec lui.

Moi: Pas du tout! Tu peux sortir avec Christian et rester fidèle à tes convictions. En plus, je le connais assez pour savoir qu'il est du genre gentleman qui va respecter tes opinions.

Laurie m'a souri.

Laurie: Ouais, t'as sans doute raison. Je vais aller le trouver.

Moi: Parfait. Et toi, Steph, tu vas aller casser avec Seb.

Laurie: Hein?

Moi: Je lui laisse te résumer la situation. Moi, je vais aller rejoindre mon chum. Son costume est pas mal moins cool quand la carotte n'est pas à côté de lui!

Je me suis rendue au gymnase, et j'ai aperçu JP qui était assis dans un coin... sans son costume.

Moi (en m'approchant de lui, les mains sur les hanches) :
Qu'est-ce que tu fais ? Où est ton éplucheur ?

JP : Je l'ai enlevé. J'étais tanné de me faire niaiser.

Moi : Sérieusement ? Tu préfères écouter tes amis niaiseux que de me faire plaisir ?

JP : Lou, tu as disparu pendant, genre, une heure, et j'avais juste l'air d'un épais déguisé en éplucheur à patates ! Désolé, mais j'ai mon orgueil.

Moi : OK, mais vas-tu le remettre ?

JP : Non. Il est trop inconfortable.

Moi : Menteur ! Tu dis juste ça parce que tu as honte de le remettre.

JP : Non. Je dis ça parce que je ne veux pas le remettre.

Moi : Fais comme tu veux, JP, mais si tu laisses tomber ton costume, alors je n'ai aucune raison de rester auprès de toi ce soir.

JP : Le costume ne t'a pas non plus empêché de me délaisser depuis qu'on est arrivés.

Je lui ai envoyé un regard noir, puis je suis allée rejoindre Laurie et Christian qui dansaient timidement plus loin. J'ai passé le reste de la soirée à éviter JP, et quand Steph est venue me voir une heure plus tard pour me dire qu'elle avait cassé avec Seb et qu'elle voulait rentrer chez elle, j'ai tout de suite accepté de partir avec elle.

Voici le résumé de ma soirée mouvementée. Laurie et Christian forment donc possiblement un genre

de couple, Seb et Steph ne sont plus ensemble...
et JP et moi nous sommes chicanés. J'attends des
nouvelles de ta fête. Je m'attends aussi à tout plein de
rebondissements.

Bonne nuit !
Lou xox

À : Léa_jaime@mail.com
De : Marilou33@mail.com
Date : Samedi 1er novembre, 11 h 26
Objet : La soirée des horreurs !

Salut, Lou !
Wow ! J'ai poussé toutes sortes de cris d'exclamation
en lisant ton courriel. Quelle soirée ! Est-ce que les
choses se sont replacées avec JP ? As-tu des nouvelles
de Laurie et Steph ?

De mon côté, tu as bien deviné : la soirée de l'Halloween
s'est littéralement transformée en soirée des horreurs.
Avant de me rendre à la fête, je suis allée rejoindre
Jeanne et Katherine chez cette dernière pour qu'on se
déguise ensemble. C'est là que Jeanne nous a fait sa
grande annonce.

Jeanne : Les filles... Il faut que je vous avoue quelque
chose.

Katherine : Tu es encore amie avec Maude ?

Jeanne : Beurk ! Non.

Moi : Tu es secrètement amoureuse du prof de sciences ?

Jeanne : Ouach ! Tellement pas ! Non, non. Mais disons que j'ai beaucoup réfléchi cette semaine, et j'ai réalisé que ça ne pouvait plus continuer comme ça avec Alex. Je vais casser avec lui ce soir.

Katherine et moi : QUOI ?

Jeanne : Voyons, les filles ! Ne venez pas me faire croire que vous n'aviez pas remarqué que c'était tendu et bizarre entre lui et moi.

Katherine : Oui, mais on avait plutôt espoir que ça s'arrange...

Jeanne : Ce n'est malheureusement pas possible. Je pense que c'est mieux qu'on ne soit que des amis.

Moi : Es-tu triste ?

Jeanne : Un peu, mais je suis surtout nerveuse. Ce que je veux avant tout, c'est qu'on puisse rester des amis.

Katherine : Alors je pense que c'est une bonne idée que tu lui en parles ce soir. Explique-lui que tu ne veux pas le perdre comme ami.

Jeanne : Ouais, c'est ce que je compte faire.

Moi : Moi aussi, j'ai une mission, ce soir.

Jeanne : Quoi ?

Moi : J'ai réfléchi aussi cette semaine, et disons que les textos incessants d'Olivier ont fini par avoir raison de mon orgueil...

Katherine : Tu es prête à lui pardonner ?

Jeanne : Tu voudrais sortir avec lui ?

Moi : Je ne sais pas si je serais capable de lui pardonner ou de lui faire confiance, et encore moins de sortir avec lui, mais je suis au moins ouverte à ce qu'on puisse en discuter.

Jeanne : Tu fais bien. Je pense qu'il a l'air vraiment sincère.

Katherine : Mouais... Mais reste quand même sur tes gardes. Tu sais que les gars sont capables de tout.

Quand nous nous sommes finalement pointées à l'école, j'ai cherché Olivier du regard, mais je ne l'ai vu nulle part. J'ai toutefois aperçu Marianne, Lydia et Sophie qui jasaient dans un coin avec José et sa gang.

Éloi et sa blonde, Caroline, sont venus nous rejoindre, et Alex est arrivé quelques minutes plus tard. Jeanne en a profité pour se glisser à côté de lui.

Jeanne (en regardant Alex) : Je peux te parler ?

Alex : Euh !, OK.

Jeanne : On va sortir du gymnase, la musique est trop forte.

Ils sont partis sans se retourner.

Katherine : On peut dire qu'elle ne perd pas de temps.

Éloi : Du temps pour quoi ?

Katherine : Euh !, pour rien.

Éloi (en me regardant) : Qu'est-ce qui se passe ?

Moi : Comme tu vas finir par l'apprendre, aussi bien t'en informer tout de suite. Jeanne va casser avec Alex.

Éloi : Wow. Ils sont pas mal *timés* !

Moi : Comment ça ?

Éloi : Parce que Alex voulait aussi casser avec Jeanne ce soir !

Katherine : Wow. On pourra dire que c'est une rupture mutuelle !

On a passé la demi-heure suivante à danser et à rigoler tous les quatre, puis Jeanne et Alex sont finalement venus nous rejoindre.

Moi (en chuchotant à l'oreille de Jeanne) : Ça va ? Tu veux aller en discuter dans la salle de bains ?

Jeanne a acquiescé et Katherine et moi l'avons suivie à l'extérieur du gymnase.

Katherine (en marchant) : Alors ? Comment ça s'est passé ?

Jeanne : Étrangement bien. Alex était du même avis que moi, alors personne n'a trop souffert.

Moi : Est-ce que c'est bizarre de te retrouver avec lui en ce moment ?

Jeanne : Un peu, mais il va falloir que je m'habitue, parce que je ne veux vraiment pas que notre rupture affecte notre groupe d'amis.

Katherine (en regardant devant elle) : Ne t'en fais pas. Je suis sûre que ça va se repla...

Elle a écarquillé les yeux et elle s'est placée devant nous pour nous bloquer le chemin.

Katherine : Je n'ai plus trop envie d'aller à la salle de bains. Ça ne vous tente pas plutôt d'aller faire un tour dehors ?
Moi : Il pleut et il fait froid.
Jeanne : Et en plus, j'ai envie de pipi.
Katherine : OK, mais on pourrait aller à la salle de bains du premier étage ?
Moi (en contournant Katherine) : Ben voyons ! T'es ben bizarre ! Pourquoi on ne pourrait pas aller à celle du rez-de-chaussée ?

Puis je les ai vus. Maude et Olivier qui étaient en train de discuter près de la porte de la salle de bains. Maude était accotée contre le mur, et faisait tournoyer une mèche de cheveux avec son doigt, tandis qu'Olivier la regardait dans les yeux. Il a alors tourné la tête vers nous, et son visage est devenu livide dès que son regard a croisé le mien.

Moi : OUACH ! Et dire que j'étais prête à lui accorder le bénéfice du doute. On part d'ici !

Je suis retournée en vitesse vers le gymnase, suivie de près par mes amis. J'ai aperçu Olivier faire son entrée quelques minutes plus tard et me chercher du regard. Quand il s'est approché de moi, j'ai agrippé Éloi par le bras et je l'ai attiré vers la piste de danse.

Moi : Danse avec moi. C'est un ordre.
Éloi : Euh ! OK, mais pas trop collé. Tu es quand même mon ex et je ne veux pas que Caro se fasse des idées.
Moi : Je vais lui expliquer plus tard que c'était pour une bonne cause.
Éloi : Quelle cause ?

Olivier est venu se planter à côté de nous.

Éloi (en le regardant du coin de l'œil) : AH ! Cette cause-là !
Olivier : Léa, je peux te parler, s'il te plaît ?
Moi (en faisant virevolter Éloi pour me retrouver dos à Olivier) : Non.
Olivier (en nous contournant) : S'il te plaît ! Laisse-moi t'expliquer ! Ce n'est pas ce que tu penses.
Moi (en me détachant d'Éloi et en faisant face à Olivier) : Ce n'est jamais ta faute et ce n'est jamais ce que je pense, mais pour une raison que j'ignore, tu te retrouves toujours collé à elle. Et dire que j'étais prête à discuter avec toi, ce soir.
Olivier : Discuter de quoi ?

Je suis alors sortie du gymnase comme une flèche.

Olivier (en courant derrière moi) : Attends ! De quoi voulais-tu qu'on parle ?

Moi (en me retournant vers lui) : De nous, niaiseux ! Mais là, tu as tout gâché en te collant au cerveau d'artichaut.

Olivier : Léa, j'étais justement en train de lui dire que j'avais envie que ça fonctionne avec toi, et que je préférais qu'elle et moi ne soyons que des amis.

Moi : Ah oui ? Et qu'est-ce qui me prouve que tu ne lui disais pas exactement la même chose qu'à moi ? Que tu es amoureux d'elle, et que tu veux qu'elle te laisse une chance ?

Olivier (en soupirant) : Rien. La seule façon de te le prouver, c'est que tu puisses me faire confiance.

Moi : Ben, c'est ça, le problème. Je n'y arrive pas, Olivier. Alors c'est mieux qu'on arrête tout, OK ? Arrête de texter, arrête de m'appeler. Je veux passer à autre chose. Je suis tannée de me chicaner.

Olivier : OK, mais est-ce que je peux te dire une dernière chose avant que tu abandonnes ?

Moi : Quoi ?

Olivier : Je te jure que j'ai seulement embrassé Maude à La Ronde. Et c'est arrivé parce que je ne réalisais pas encore à quel point je tenais à toi. Je te jure que c'est tout. Elle est une amie, et c'est vraiment avec toi que je veux être.

Moi : Si c'est moi que tu voulais, tu n'aurais pas eu aussi honte de l'assumer en public.

En guise de réponse, Olivier m'a prise par la main et m'a attirée vers le gymnase.

Moi (en essayant de me défaire de son étreinte) : Mais qu'est-ce que tu fais ? Lâche-moi !

Olivier m'a entraînée vers le centre de la piste de danse, puis il s'est tourné vers moi.

Olivier : Ça, c'est pour que tu réalises à quel point je suis sérieux.

Puis il m'a embrassée sur la bouche. Un baiser sans langue (heureusement) devant tout le reste de l'école, devant mes amis et devant les nunuches.

Quand il s'est finalement reculé, il m'a regardée dans les yeux.

Olivier (en me chuchotant dans l'oreille) : Je sais que j'ai été con, et je sais que tu penses que je suis le pire des crosseurs du monde, mais j'aimerais ça sortir avec toi, Léa. Prends le temps d'y réfléchir, OK ?

Et il est parti sans me laisser le temps de répondre. J'étais un peu sous le choc. J'ai cligné des yeux et j'ai vu que mes amis m'observaient. Éloi et sa blonde souriaient, Katherine et Jeanne me regardaient avec les yeux écarquillés, et Alex se grattait le menton d'un air songeur.

Puis j'ai vu les nunuches qui me dévisageaient, mais j'ai décidé de les ignorer. J'ai plutôt rejoint mes amis.

Katherine : C'était quoi, ça ?

Jeanne : Vous sortez ensemble ?

Éloi : En tout cas, on peut dire qu'il s'est déniaisé !

Caroline : Je ne le connais pas, mais il a vraiment l'air à tenir à toi, Léa.

Alex : Moi, je ne lui fais toujours pas confiance.

Moi : Euh ! Je ne sais pas trop ce qui s'est passé. Il a senti le besoin de me prouver qu'il tenait à moi, je pense.

Katherine : Et ç'a marché ?

Moi : Je ne sais pas trop. Je suis confuse.

Jeanne : Tu veux qu'on danse et qu'on se change les idées ?

Moi : Oui, s'il te plaît !

Alex : Euh !, moi, je vais y aller.

On s'est tous tournés vers Alex.

Jeanne : T'es sûr ? Il me semble que ça nous ferait du bien de danser tout le monde ensemble ?

Alex : Ouais, je suis sûr. Je n'ai pas trop la tête à danser.

Il s'est éloigné un peu, et je l'ai suivi.

Moi : Alex, attends ! C'est l'histoire avec Jeanne qui te met dans cet état-là ?

Alex : Ouais, c'est ça. Je sais que c'est la meilleure chose à faire de casser, mais disons que ce n'est pas la soirée la plus cool de ma vie. Et je veux que Jeanne ait du *fun*, ce soir.

Moi : Mais ça va aller, toi ? Tu ne veux pas de la compagnie ?

Alex : Non, ça va aller. Je vais aller faire peur aux retardataires qui viennent chercher des bonbons chez nous.

Moi : OK. Mais s'il y a quoi que ce soit, tu me fais signe, OK ? Je vais t'appeler demain.

Alex : OK. En passant... sais-tu ce que tu vas faire avec Olivier ?

Moi : Non. Aucune idée. Et je n'ai pas envie d'y penser ce soir.

Alex (en regardant Maude) : Ça aura au moins eu comme effet de faire pomper ta grande amie.

Je me suis tournée vers Maude, qui avait l'air dans tous ses états.

Moi : Bof. Je suis sûre que José saura la réconforter.

Alex (en posant un baiser sur ma joue) : Bonne soirée, Rongeur.

Moi : Bonne soirée, Alex.

Je suis retournée voir mes amis et je leur ai fait un petit résumé de ce qu'Alex m'avait dit.

Jeanne : Je me sens mal. J'aurais pu partir et lui laisser la place.

Moi : Ne te sens pas mal. Il avait sincèrement envie de partir.

Jeanne (d'un air triste) : Mouais, mais je ne veux pas que ce soit comme ça. Je ne veux pas qu'un de nous deux se sente de trop.

Moi : Jeanne, vous avez cassé il y a deux heures ! C'est normal que vous ayez besoin d'un petit peu d'air. Mais je suis certaine que lundi, les choses iront mieux.

Katherine : Léa a raison. Et ça ne sert à rien de te tracasser avec ça tout de suite. Pour l'instant, ce qu'on veut, c'est s'amuser.

Et malgré tout, c'est ce que nous avons réussi à faire pendant le reste du party. On a dansé, on a ri et on a niaisé. Quand Félix est finalement venu me chercher, j'avais vraiment mal aux pieds, mais j'étais de bonne humeur.

Ce matin en me levant, j'avoue que c'est une autre affaire. Je suis un peu triste pour Alex et Jeanne, et je souhaite vraiment que leur histoire ne nous empêche pas d'être aussi proches qu'avant. Et évidemment, je me pose des questions à propos d'Olivier. Je ne vais pas te mentir (je ne pourrais pas de toute façon, tu me connais trop bien), ça m'a vraiment fait plaisir qu'il me fasse une déclaration comme celle d'hier et qu'il m'embrasse devant tout le monde. Le problème, c'est que je ne suis pas sûre si je veux ou je peux être en couple avec lui.

Premièrement, je ne sais pas si j'ai vraiment envie d'avoir un chum. C'était cool de me battre pour lui contre Maude, mais c'est une autre histoire de m'imaginer avec un autre chum. Après Thomas et Éloi, mon cœur sent qu'il a besoin d'une petite pause de gars.

Deuxièmement, je ne sais pas si malgré tous ses beaux efforts, j'arriverais à lui faire complètement confiance.

Et troisièmement, même si je le trouve super *cute* et gentil à ses heures, je ne ressens pas non plus d'amour fou pour lui. Avec Thomas, je me souviens que c'était électrique... et les quelques fois que j'ai embrassé ou que j'ai failli embrasser Alex, j'ai ressenti la même chose. Mais avec lui, ce n'est pas ça. Je ne veux pas faire comme avec Éloi et sortir avec un gars que j'aime beaucoup, mais dont je ne pourrai jamais vraiment tomber amoureuse, tu comprends ? Je sais ce que tu vas me dire : c'est peut-être à cause de la torpille. Et tu as peut-être raison. On ne peut pas dire que la chimie soit malade entre nous.

Bref, j'ai tout ça dans la tête, et je dois en plus faire mes devoirs. J'espère que mon long roman ne t'a pas trop ennuyé ! ☺

Tu m'appelleras sur Skype en fin de semaine si t'en as la chance.
Bisous !
Léa !

P.-S. : Je vais mettre des photos du party d'hier sur Facebook. Tu iras les voir !

P.P.-S. : Au moins une bonne nouvelle : mon exam de maths d'hier a beaucoup mieux été que le précédent ! Je n'étais pas du tout nerveuse et je n'ai fait aucun pet de cerveau ! Je me croise les doigts pour la note ! ☺

Mardi 4 novembre

19 h 41

Alex (en ligne): Hé! Je te dérange?

19 h 42

Léa (en ligne): Pas du tout! Je terminais une conversation avec Marilou!

19 h 42

Alex (en ligne): Je vois... Tu lui faisais part de tous les nouveaux potins?

19 h 43

Léa (en ligne): Non. Je lui avais déjà fait un long résumé en fin de semaine, et comme c'est toujours le *statu quo* entre Olivier et moi, je n'avais pas grand-chose à raconter, à part le fait que mon super ami Alex m'a permis d'obtenir une note de 87% dans mon dernier exam de maths, ce qui me donne le droit d'accompagner Marilou au spectacle de One Direction le 21 novembre!

19 h 44

Alex (en ligne): Wow! Il a l'air cool, cet ami! Je peux le rencontrer?

Léa (en ligne): Non! Je le garde pour moi! ;) Sans blague, merci mille fois, Alex. Tu as le don d'expliquer pour que je comprenne.

19 h 44

Alex (en ligne): Irais-tu même jusqu'à dire que j'explique mieux qu'Olivier?

19 h 44

Léa (en ligne): Mille fois mieux!

19 h 45

Alex (en ligne): Ça me fait plaisir, alors! Et je compte sur toi pour me rendre le même service en français. J'en arrache avec mes compositions.

19 h 45

Léa (en ligne): *Deal*! Et sinon, ça va? Jeanne et toi avez l'air de vous débrouiller pas si mal à l'école.

Alex (en ligne): Ouais... Ben, je pense que dans les derniers temps, on était surtout redevenus des amis, alors la transition est facile à faire; il suffit d'arrêter de s'embrasser sur la bouche! Et toi avec Olivier? Il me semble que je ne t'ai pas vue lui parler depuis lundi matin?

19 h 46

Léa (en ligne): En fait, la première chose qu'il m'a demandée quand je suis arrivée à l'école hier est si j'avais réfléchi et si j'avais une réponse pour lui. Je lui ai répondu que je ne savais toujours pas, et qu'il allait devoir patienter un peu plus longtemps.

19 h 46

Alex (en ligne): C'est correct. Il mérite de patienter.

19 h 47

Léa (en ligne): Je sais... Mais t'sais, l'an dernier, Éloi m'avait fait subir un peu la même chose et j'avais trouvé ça particulièrement pénible d'être en attente, alors je me dis qu'il va falloir que je me branche.

19 h 47

Alex (en ligne): Tu ne sais pas du tout ce que tu veux?

19 h 47

Léa (en ligne): Oui! Ce que je veux, c'est aller dîner au café avec Jeanne et toi demain! Comme dans le bon vieux temps! Ça t'irait?

19 h 48

Alex (en ligne): Ça peut s'arranger... ;) On se voit demain, alors!

19 h 48

Léa (en ligne): À demain! xx

📱 05-11 12 h 02

Léa? As-tu maintenant ton cellulaire à l'école? Si oui, j'en ai une bonne à te raconter!

📱 05-11 12 h 03

Oui! Mes parents étaient tellement fiers de ma note de maths qu'ils m'ont donné la permission de récupérer mon cellulaire en tout temps!

📱 05-11 12 h 04

Trop cool! Et est-ce qu'ils sont de meilleure humeur?

📱 05-11 12 h 04

Oui! Je pense que mon amélioration scolaire, mes journées passées en famille et ma *nerdité* ont acheté leur bonheur et les ont rendus moins bourrus.

📱 05-11 12 h 05

Cool! C'est la même chose avec mes parents: quand je garde mon petit frère et que j'ai de bonnes notes, ils deviennent des labradors, mais quand j'ai le malheur d'être indépendante et «d'oublier» de faire un devoir, ils se transforment en rottweilers!!!

📱 **05-11 12 h 06**

Ha, ha! J'aime la comparaison canine! Alors, que se passe-t-il? Qu'est-ce que tu devais me dire?

📱 **05-11 12 h 06**

Tu te rappelles que Laurie nous a dit qu'elle avait du mal à s'assumer en public avec Christian lors du party d'Halloween?

📱 **05-11 12 h 07**

Oui!

📱 **05-11 12 h 07**

Eh bien, ils sont devenus les plus grands pots de colle de toute l'école. Ils se *frenchent* un peu partout!

📱 **05-11 12 h 08**

Lol! Eh bien! On dirait que vous lui avez donné la confiance dont elle avait besoin. Et entre Steph et Seb, est-ce que c'est bizarre?

📱 **05-11 12 h 09**

Disons qu'ils ne sont pas prêts à être amis, contrairement à Jeanne et Alex! Mais personnellement, ça fait un peu mon affaire, parce que je peux maintenant utiliser Steph comme prétexte quand je n'ai pas le goût de passer du temps avec les amis de JP! ;)

📱 **05-11 12 h 09**
. . . .

OH! Ingénieux! Et ça va mieux avec JP?

📱 **05-11 12 h 10**
. . . .

Ouais. On s'est excusés tous les deux, hier soir: On a décidé de mettre l'histoire de l'éplucheur derrière nous.

📱 **05-11 12 h 10**
. . . .

Ou plutôt, vous avez décidé de jeter les pelures de carotte à la poubelle? ;)

📱 **05-11 12 h 10**
. . . .

Exactement! ;) Et toi, avec Olivier?

📱 **05-11 12 h 11**
. . . .

Il m'énerve un peu. Ce matin, il a décidé de recommencer à parler à Maude. Je ne sais pas si c'est elle qui essaie encore de le séduire ou si c'est lui qui essaie de me rendre jalouse, mais ça me gosse vraiment.

📱 05-11 12 h 11

C'est clair qu'il fait ça pour te rendre jalouse.

📱 05-11 12 h 11

Ouais, mais il ne choisit pas la bonne personne. Il joue avec le feu. Il me semble lui avoir assez répété que je ne supportais pas les nunuches.

📱 05-11 12 h 12

Ouais, t'as raison. Mais Olivier ne doit plus savoir quoi faire pour attirer ton attention. Je pense que tu devrais vraiment t'expliquer avec lui.

📱 05-11 12 h 12

Et lui dire quoi? « Je ne sais pas si j'ai vraiment envie de sortir avec toi ou si je peux te faire confiance, mais si tu m'attends quelques mois, il se peut que j'aie une réponse à te donner? »

📱 05-11 12 h 13

Pourquoi pas?

📱 **05-11 12 h 13**
....

Hum... Ouais, peut-être. Bon, je te laisse. Il vient juste d'arriver à notre table à la cafétéria. Je te réécris plus tard! JTM!

📱 **05-11 12 h 13**
....

JTM! xx

Inscris un titre : Olivier.

Écris ton problème : Salut, Manu ! Apparemment, les périodes de calme plat sont de courte durée dans ma vie, car je te réécris déjà avec une autre question amoureuse. Je t'avais déjà parlé d'Olivier, le nouveau gars de mon niveau que je trouve *cute* et qui m'a embrassée à quelques reprises. Comme tu le sais, ma pire ennemie, Maude, a aussi un *kick* dessus, et j'ai récemment appris qu'il l'avait embrassée, elle aussi. Tu peux t'imaginer que je n'étais pas *full* contente de l'apprendre.

Bref, Olivier prétend maintenant que c'est moi qu'il veut, et que Maude n'est qu'une amie (je ne comprends pas comment on peut considérer l'incarnation du diable comme une amie, mais ça, c'est une autre histoire). Le problème, c'est que je ne suis pas certaine si j'ai envie de tenter ma chance et de sortir avec lui. Je ne sais pas si je peux endurer cette amitié avec Maude, ni si la chimie entre nous est assez forte pour qu'on forme un couple...

Est-ce que je devrais quand même essayer?
Si oui, comment lui faire confiance?
Léa xox

P.-S.: Autre détail: Olivier n'embrasse pas *full* bien, et je pense que c'est ça, notre problème de chimie. Ça sonne bizarre comme question, mais est-ce qu'il y a un truc pour l'aider à améliorer sa technique?

Manu répond à deux questions par semaine. Tu seras peut-être choisie...

Chapitre 8 :
Let's go to Varadero!

À : Marilou33@mail.com
De : Léa_jaime@mail.com
Date : Vendredi 7 novembre, 21 h 21
Objet : Le retour des beignes

Salut, Lou !

Devine ce que je fais en ce moment ? J'écoute des séries sur mon ordi en mangeant des beignes. Oui, oui, l'ère du rejet est de retour. Ou du moins, j'ai décidé de me rejeter moi-même du reste du monde pour la fin de semaine.

Tu comprendras que ma semaine, qui avait si bien commencé grâce à mon 87 % en mathématiques, s'est terminée de façon désastreuse. Et qui dois-je blâmer pour ça ? Maude, voyons !

Comme je te l'avais mentionné, j'ai remarqué qu'Olivier et elle avaient recommencé à se parler depuis mercredi. Eh bien, leur « super » complicité s'est poursuivie tout au long de la semaine.

Jeudi, Olivier a dîné avec Maude et Marianne, et aujourd'hui, après l'école, je l'ai surpris se rendant à une répétition pour le défilé de mode.

Moi (en l'interceptant alors qu'il s'apprêtait à entrer dans le gymnase) : Alors, elle t'a aussi recruté pour le défilé ? Je ne savais pas que tu étais du genre « mannequin » !

Olivier (en se retournant et en me souriant) : Hé, salut ! En fait, c'est Marianne qui m'a dit que le comité recherchait encore un gars, et les filles de l'organisation ont toutes été d'accord pour que j'embarque. Et comme ça donne des points d'activités parascolaires, je n'ai pas dit non.

Moi : Hum, je vois. Mais... tu n'avais pas assez de points avec le journal ?

Olivier : Ouais, mais le défilé me permet aussi de me faire de nouveaux amis. Ça fait du bien de connaître des gens. N'oublie pas que je suis le « petit nouveau » de l'année !

Moi : Je ne l'oublie pas... Mais... Disons que je ne savais pas que la mode t'intéressait autant.

Olivier (en me dévisageant d'un air amusé) : Es-tu jalouse, Léa ?

Moi (du tac au tac) : Veux-tu que je sois jalouse ?

Olivier (du tac au tac aussi) : Non. Je veux que tu sois ma blonde, mais ça, c'est hors de mon contrôle.

Sa répartie m'a fait sourire.

Olivier : Veux-tu faire quelque chose en fin de semaine ?
Moi : Genre, quoi ?
Olivier : Genre, aller voir un film ? Ou aller se promener ?
Moi : Mouais, peut-être. Appelle-moi !

Marianne a ouvert la porte du gymnase à cet instant et m'a dévisagée comme si j'étais une tarentule.

Marianne : Excuse-nous, Léna, mais on a du travail à faire.
Olivier (en me souriant) : On s'en reparle.
Moi (en ignorant la nunuche) : OK. À plus !

Je me suis rendue jusqu'à ma case avec le sourire aux lèvres. Malgré tous mes doutes, j'étais contente de constater qu'Olivier continuait de se battre pour obtenir mon attention. J'ai alors croisé Maude, qui était en train de verrouiller son casier.

Maude (en faisant semblant de humer l'air) : Hum... Il me semble que ça sent bizarre. Oh ! Je vois ! C'est parce qu'il y a une tomate farcie dans les environs.
Moi : Change de répertoire, Claude. Ça devient redondant, ton affaire.
Maude (en s'appuyant contre son casier et en me dévisageant) : Alors, pas trop fâchée de savoir qu'Olivier s'est joint à l'équipe du défilé et passera de longues heures en ma compagnie ?
Moi (en la dévisageant à mon tour) : Non, parce que je sais que pendant tout ce temps-là, il ne pensera qu'à une chose : moi. Tu ne vois donc pas que c'est moi qu'il veut, Maude ? Sa déclaration du party de l'Halloween n'a pas été assez claire pour toi ?

Maude : Ouais, mais ce que tu ne sais pas, c'est que pendant que toi, tu hésites de ton côté, Olivier et moi sommes en train de devenir les meilleurs amis du monde. Je suis devenue un peu sa confidente. Et tu sais, les confidentes ont le droit de donner leur avis sur les choix de filles de leurs meilleurs amis. Et moi, je suggère fortement à Olivier de passer à autre chose et d'oublier la tomate que tu es.

Moi : Ce n'est pas parce que tu passes une heure par semaine avec lui dans une répétition de défilé de mode que vous êtes devenus des BFF, Maude.

Maude : Ah, je vois... Donc, Olivier ne t'a pas dit qu'on passait beaucoup de temps ensemble, genre, à l'extérieur de l'école ?

Moi : Non, parce que ce sont des MENSONGES.

Maude : Oups, je n'aurais peut-être pas dû te le dire... Ça ne va pas t'aider à lui faire confiance, hein ? Mais ne t'en fais pas... Il n'y a rien entre nous. Un peu de tension, évidemment, mais rien de plus. Olivier, c'est comme ton Alex. Même si on s'aime et qu'on se désire, on ne se le dira jamais, car on ne veut pas faire de peine « à ceux qui nous entourent ».

J'ai serré les poings et j'ai pris une profonde inspiration. Comment osait-elle comparer sa relation avec Olivier à celle que je partage avec Alex ? Et pire encore : comment pouvait-elle suggérer qu'il y ait un genre de tension amoureuse non assumée entre lui et moi, et entre elle et Olivier ?

Maude (en s'approchant de moi) : Qu'est-ce qu'il y a, Léna. Le chat a mangé ta langue ?

Olivier est arrivé à cet instant même.

Olivier : Euh ! Désolé de vous interrompre, mais Marianne te cherche partout, Maude ! La répétition est commencée.

Maude (en se tournant vers lui et en faisant battre ses cils) : J'arrive tout de suite.

Elle m'a lancé un dernier regard diabolique, puis elle s'est dirigée vers le gymnase.

Olivier a hésité quelques instants, puis il s'est avancé vers moi.

Olivier : Ça va ? Tu n'as pas l'air de filer...

Moi : Je ne file jamais bien après avoir parlé à Maude.

Olivier : Arrête de t'en faire avec elle.

Moi : Ouais, c'est facile à dire pour toi étant donné que tu es devenu son meilleur ami.

Olivier (en haussant un sourcil) : Hum ? De quoi tu parles ?

Moi : Je parle de Maude et toi. Elle m'a dit que vous vous parliez, genre, tous les jours, et que vous passiez beaucoup de temps ensemble en dehors de l'école.

Olivier : Ouais. Je t'ai déjà dit que Maude et moi étions amis !

Moi : Ouais, mais tu ne m'as pas dit à quel point vous l'étiez !

Olivier : Et qu'est-ce que ça change ? Je sais que tu ne l'aimes pas, mais moi, je m'entends bien avec elle.

Moi (en sautant un peu ma coche) : C'est ça, le problème, Olivier. Je suis désolée, mais je ne peux pas faire confiance à Maude. Ni à toi, d'ailleurs.

Olivier : OK. Je te répète qu'on ne sortait pas officiellement ensemble quand je l'ai embra...

Moi (en l'interrompant) : Je sais tout ça. Et je sais que ce n'est pas rationnel, mon affaire, mais je ne suis pas capable d'être avec toi si tu passes tout ton temps avec elle, parce que je sais que je vais m'imaginer des choses. Et même si je ne m'en imagine pas, je sais pertinemment que Maude va s'arranger pour que je paranoïe. J'ai déjà passé un an à lutter contre elle pour tout et pour rien. Elle m'a humiliée, blessée et intimidée mille fois depuis mon arrivée ici, et je suis tannée de me battre.

J'ai pris une profonde inspiration, puis j'ai poursuivi en regardant Olivier dans les yeux.

Moi : Je suis désolée, Olivier, mais c'est ma réponse. Je ne veux pas te faire attendre plus longtemps, parce que je sais que je ne changerai pas d'avis. Je ne peux pas sortir avec toi si tu es ami avec elle... alors c'est sûrement mieux qu'on prenne nos distances, et qu'on oublie ça pour en fin de semaine.

Olivier est resté silencieux pendant quelques secondes. Il espérait peut-être que je me ravise, mais je me suis contentée de ramasser mon sac qui traînait sur le sol et d'enfiler mon manteau.

Olivier : OK. Au moins, c'est clair, maintenant. Je ne me ferai plus d'espoir et je pourrai passer à autre chose.
Moi (en le regardant d'un air triste) : Ouais. C'est mieux comme ça.
Olivier : Bonne fin de semaine, Léa.
Moi : Bye, Olivier.

Et il est reparti vers le gymnase. Il est allé retrouver sa meilleure amie Maude, qui se fera sans doute un plaisir de le consoler.

Quant à moi, je suis rentrée à la maison et je me suis enfermée dans ma chambre. Comme mes parents ont un souper avec des amis ce soir et que Félix est encore sorti dans un bar quelconque, je suis contente de me retrouver seule à la maison. J'ai commandé du chinois et j'ai ressorti mes vieilles pantoufles mauves que tu m'avais offertes pour mes douze ans ! Je me rappelle que la vie était pas mal plus simple à cette époque-là ! Premièrement, nous n'étions pas séparées par des centaines de kilomètres. Deuxièmement, les gars ne nous intéressaient pas encore. Et troisièmement,

Maude la cruche ne faisait pas encore partie de mon quotidien !

Même si je suis déçue que ça n'ait pas fonctionné avec Olivier, une partie de moi est un peu soulagée. Je suis contente d'avoir tranché, et la vérité, c'est que mon hésitation voulait tout dire : j'aime bien Olivier, mais pas assez pour endurer Maude quotidiennement.

Et toi, ta soirée ? Es-tu avec JP ? Comment s'est passée la fin de ta semaine ? Dans deux semaines, tu seras ici, et on ira au spectacle ensemble. J'ai tellement hâte ! J'espère aussi que je pourrai venir te visiter dans le temps des fêtes. Mes parents n'ont pas proposé de louer un chalet cette année, alors je crois que ce sera possible.

Bisous !
Léa xox

Dimanche 9 novembre

15 h 44

Félix (en ligne): *YO!* Lâche ta musique déprimante et viens me rejoindre au salon!

15 h 45

Léa (en ligne): Pourquoi? Pour que tu puisses m'humilier à la Wii et que je me sente encore plus mal dans ma peau?

15 h 45

Alex (en ligne): Bon, bon. Qu'est-ce qui se passe? Le *player* de ta classe a décidé d'en *frencher* une autre?

15 h 46

Léa (en ligne): Non! C'est moi qui l'ai *flushé*, tu sauras!

15 h 46

Félix (en ligne): OK. C'est quoi le problème, alors?

15 h 47

Léa (en ligne): Aucun. Je me sens juste «blah» en fin de semaine.

15 h 47

Félix (en ligne): Justement! Quoi de mieux qu'un match de hockey à la Wii pour te remonter le moral?

15 h 48

Léa (en ligne): Vas-tu me laisser gagner?

15 h 48

Félix (en ligne): Non.

15 h 48

Léa (en ligne): Alors je n'ai pas envie de jouer.

15 h 49

Félix (en ligne): Et si je te laisse choisir ton jeu? Vas-tu dire oui?

15 h 49

Léa (en ligne): Peut-être.

Félix (en ligne): Cool! En plus, je pense que c'est mieux qu'on descende et qu'on aille fouiner près des parents. Je les ai entendus parler du temps des fêtes, et je préfère qu'ils ne prennent aucune décision sans nous avoir consultés, car je prévois organiser un party du jour de l'An ici.

15 h 51

Léa (en ligne): Sérieux? Et tu penses qu'ils vont dire oui après le dernier que tu as fait?

15 h 51

Félix (en ligne): Oui, parce que je vais leur assurer qu'on va tout nettoyer après.

15 h 52

Léa (en ligne): Par «on», tu inclus uniquement la personne qui parle?

15 h 53

Félix (en ligne): Non... Je t'inclus aussi, petite sœur chérie! La bonne nouvelle, c'est que tu seras invitée à mon party et que tu pourras même inviter deux ou trois amis. La mauvaise, c'est que tu devras faire le ménage avec moi.

Léa (en ligne): Hum... C'est tentant, mais comme la plupart de mes amis ne sont pas là au jour de l'An, je vais être obligée de refuser ton offre. (D'ailleurs, si je l'avais acceptée, j'aurais exigé plus que «deux ou trois amis».)

15 h 54

Félix (en ligne): Et si je te laisse gagner à la Wii, vas-tu accepter? Allez, Léa! Tu sais que les parents seront plus portés à dire oui si on organise quelque chose ensemble! S'il te plaît! Pense au service que je t'ai rendu quand je t'ai accompagné au party plate de Maude!

15 h 55

Léa (en ligne): Beurk. Ne me parle pas d'elle! Si je dis oui, tu dois m'offrir mieux qu'une victoire à la Wii.

15 h 55

Félix (en ligne): Qu'est-ce que tu veux?

15 h 55

Léa (en ligne): Deux semaines de corvée de lave-vaisselle, et un mois de *lift* sans ronchonner.

15 h 56

Félix (en ligne): Relaxe! Tu vas en profiter autant que moi, de ce party-là! Je t'offre zéro semaine de corvée de lave-vaisselle et une semaine de *lift*.

15 h 56

Léa (en ligne): Une fille s'essaye... Vendu!

15 h 57

Félix (en ligne): OK! Je te rejoins en bas!

15 h 57

Léa (en ligne): 10-4. J'arrive!

À : Léa_jaime@mail.com
De : Marilou33@mail.com
Date : Dimanche 9 novembre, 17 h 22
Objet : Beurk, beurk, beurk.

Sais-tu ce que je viens de voir dehors ? Un flocon. UN FLOCON ! Peux-tu croire qu'ici l'hiver est déjà arrivé ? Je ne veux pas, bon. Je veux retourner à l'été, ou alors hiberner tout l'hiver comme une marmotte. Comme ça, si jamais on avait la folle (et niaiseuse) idée de retourner dans un camp l'été prochain, je pourrais m'appeler « Marmotte engourdie » !

Je sais que ta fin de semaine est un peu déprimante, mais si ça peut te rassurer, c'est tout aussi ennuyant par ici.

Vendredi soir, j'ai essayé de me sortir d'une soirée film avec JP, Seb, Thomas et... Sarah Beaupré en disant que je voulais passer du temps de qualité avec Steph, mais comme JP a appris que Steph était partie à Québec en fin de semaine, mon super plan n'a pas fonctionné.

Résultat : j'ai été coincée avec mon chum, les deux ex de mes amies et la blonde insupportable de l'un des deux. J'aime beaucoup JP, mais il ne faisait pas le poids contre les électrons négatifs de la soirée. En plus, je sentais que Thomas était *full* mal à l'aise devant moi. Je me doutais bien que c'était à cause du party de Seb, et plutôt que de calmer son anxiété, j'ai fait exprès de mentionner ton nom à quatre ou cinq reprises. Mouahaha ! Chaque fois, je voyais le corps de Thomas se crisper, et le visage de Sarah s'empourprer. Je me sentais diabolique, mais au moins, j'avais du *fun* !

Après le film, je suis allée à la salle de bains, et Thomas m'a interceptée au passage.

Thomas (en chuchotant, l'air mécontent) : À quoi tu joues ?

Moi : Euh ! Je ne joue pas. Je vais faire pipi.

Thomas (mal à l'aise) : Euh ! OK, mais je ne parlais pas de ça. Je parlais de Léa. Pourquoi tu n'arrêtes pas de parler d'elle ?

Moi : Je parle d'elle de façon normale. Moi, je pense que c'est ton cerveau qui te joue des tours, et que tu entends le nom de Léa partout...

Thomas (confus) : Euh ! Non. C'est toi qui n'arrêtes pas d'en parler ! Bref, Sarah n'est pas au courant de... ce qui s'est passé entre Léa et moi, et j'aimerais bien que ça reste comme ça. Est-ce que je peux compter sur toi ?

Moi (en souriant d'un air diabolique) : Mais évidemment ! Quoi ? Tu ne me fais pas confiance ?

Je suis partie aux toilettes avant de lui donner la chance de répondre. Je sais que c'est méchant de jouer comme ça avec sa pression artérielle, mais je t'avoue que ça m'a fait un petit velours.

Thomas, Sarah et Seb sont partis quelques minutes plus tard, et dès que je me suis retrouvée seule avec JP, il m'a regardée d'un drôle d'air.

Moi (l'air innocent) : Quoi ? Pourquoi tu me regardes comme ça ?
JP (en souriant) : Tu es vraiment diabolique.
Moi (en souriant aussi) : Je sais.

Et JP m'a embrassée. Signe qu'il m'accepte comme je suis ! ☺

Ce petit moment de romantisme entre lui et moi représente pas mal le point fort de ma fin de semaine. Samedi, j'ai eu un entraînement de natation, puis j'ai gardé mon frère en soirée, et aujourd'hui, je fais mes devoirs et je déprime en regardant l'hiver qui s'installe déjà.

J'ai aussi beaucoup pensé à ton histoire avec Olivier. Si tu veux mon avis (et même si tu ne le veux pas, je vais te le donner quand même. Lol !), je pense que tu as pris la meilleure décision. Comme tu le dis toi-même, ton hésitation veut tout dire. Si tu étais vraiment amoureuse de lui, tu te ficherais de Maude et tu continuerais à le fréquenter. Le problème, c'est que tes sentiments ne sont pas assez forts pour contrer la présence de la reine des nunuches. Je pense aussi que tu as eu ton lot d'émotions en matière de gars cette année, et que ça te fera du bien d'être célibataire pendant quelques mois. Dis-toi que Jeanne et Alex ne forment plus un couple non plus, alors tu te sentiras moins seule ! ☺

Parlant de couple, j'ai parlé avec Laurie aujourd'hui et elle dit que, même si Christian et elle sont constamment collés par la bouche, ils ne forment pas « officiellement » un couple. Elle prétend que c'est sa façon à elle de rester indépendante tout en le « fréquentant ». Si tu veux mon avis, je sens que c'est une théorie bidon qui va mal finir, mais comme ils ont tous les deux l'air plutôt... heureux ces temps-ci, je préfère ne pas intervenir.

J'ai aussi parlé à Steph, qui vit très bien son retour au célibat. Même si je trouve ça plate d'avoir perdu mon couple d'amis, je suis contente qu'elle aille mieux maintenant.

Voici donc le palpitant résumé de ma vie. J'attends de tes nouvelles.
Lou xox

À : Marilou33@mail.com
De : Léa_jaime@mail.com
Date : Mardi 11 novembre, 13 h 41
Objet : Le local d'informatique !

Coucou !
Désolée de ne pas t'avoir répondu avant, mais c'est encore le gros *rush* pour moi cette semaine : journal étudiant, examen de sciences, composition en français pour laquelle j'ai promis à Alex que je l'aiderais, test sur les verbes en anglais... Bref, tu vois le genre.

Heureusement, j'ai un moment de répit cet après-midi parce que le prof d'histoire est absent. Le remplaçant nous a fait venir dans la salle d'informatique pour « faire nos devoirs », et je considère que t'écrire est un devoir ! ;) (Katherine est pire que moi, elle joue à Solitaire sur l'ordi ! !)

En plus, je voulais te faire un résumé des derniers événements. Dimanche soir, alors que j'étais en train de lessiver Félix à la Wii, mes parents ont demandé à nous parler.

Moi (en déposant ma manette) : Ça me fait peur. La dernière fois que vous avez eu « une annonce à nous faire », j'ai appris qu'on déménageait à Montréal ! Félix (sur la défensive) : Si c'est à cause du vase cassé, ce n'est pas ma faute !

Mon père (en fronçant les sourcils) : Quel vase ?

Félix : Euh ! Non, rien ! Laisse faire ! Alors, que voulez-vous nous dire ?

Ma mère : Votre père et moi avons bien réfléchi, et nous avons pris une décision. Vous saviez que je voulais faire des rénovations dans la cuisine, l'été prochain ?

Félix : Euh ! Non. Mais en quoi ça nous concerne ? Tu veux que j'aide à démolir les armoires en faisant des partys ?

Ma mère : Très drôle, mais non merci.

Moi (en souriant) : Alors tu veux nous annoncer que comme nous n'aurons pas accès à la cuisine pendant des semaines, nous devrons nous nourrir exclusivement de mets chinois !

Ma mère (découragée) : Non plus !

Félix : Ben c'est quoi, alors ?

Mon père : Ce que votre mère essaie de dire, c'est que nous avons changé d'idée. Nous avons remis nos plans de rénovation à plus tard.

Félix a dévisagé mes parents, puis il a fait semblant de s'endormir.

Moi (en le secouant) : Réveille ! Je suis sûre que l'annonce des parents ne se résume pas à « nous avions des projets de rénovation, mais nous n'en avons plus » ! En tout cas, j'espère...

Ma mère (en me regardant) : Évidemment que nous avons une autre annonce. En fait, nous avons décidé de remettre les plans de rénovation à plus tard parce que nous préférons investir une partie de cet argent dans un voyage !

Félix (en s'animant soudain) : Oh ! Vous partez en voyage ? Quand ? Est-ce que je peux inviter des amis à la maison ?

Mon père : On part en voyage… mais vous partez avec nous !

Moi (en sautant dans les airs) : Trop cool ! Quand ça ? Où ça ?

Félix (en souriant aussi) : Ouais ! C'est vrai que c'est cool un voyage ! Et je pourrai utiliser Léa pour transporter mes bagages.

Ma mère : On voulait partir pendant les vacances des fêtes, et la destination la plus abordable était Varadero, à Cuba ! Ça comptera comme cadeau de Noël pour les trente prochaines années.

Moi (en sautant au cou de ma mère, puis de mon père) : Trop cool ! Merci, maman ! Merci, papa !

Félix (en souriant) : Ouais ! C'est vrai que c'est cool de se sauver de l'hiver ! Alors, on part quand ? Le 1er ou le 2 janvier ?

Mon père : Bien avant ça ! On part dès que vous tombez en vacances, soit le samedi 20 décembre !

Moi : Yé ! J'ai hâte !

Félix (l'air songeur) : Euh ! OK, mais on rentre quand ? Genre, le 29 ou le 30 ?

Ma mère : Ben non, Félix ! Ce sont des forfaits de deux semaines. On revient donc le samedi 3 janvier.

Félix et moi avons échangé un regard. Même si j'étais super contente d'apprendre qu'on partait dans le Sud, Félix m'avait vendu l'idée d'organiser un party du Nouvel An à la maison, et j'avoue que j'étais un peu déçue que ça tombe à l'eau.

Mon père (en nous dévisageant) : Qu'est-ce que vous avez ? On vient de vous apprendre une excellente nouvelle, et vous réagissez comme si on vous forçait à manger du boudin cru !

Félix (en baissant les yeux) : Ben... Ça veut dire qu'on va rater le party du jour de l'An...

Ma mère : Quel party du jour de l'An ?

Moi (d'une petite voix) : Celui qu'on pensait organiser ici ?

Mon père : Vous pensiez organiser une fête ici sans nous en parler ?

Félix : Non, j'allais justement vous en glisser un mot aujourd'hui. Mais là, ça ne sert à rien, puisqu'on ne sera pas ici de toute façon...

Il y a eu un petit moment de silence.

Ma mère : Et si vous faisiez votre party avant qu'on parte ?

Félix : En décembre, c'est le gros *rush* au cégep, et en plus, y a déjà des partys de fin de session qui sont organisés, alors personne ne viendrait.

Moi : On pourrait le faire en novembre avant les examens.

Mon père : Ce n'est pas une mauvaise idée.

Félix : Ouais, mais ça n'a aucun rapport avec le Nouvel An.

J'ai fait de gros yeux à Félix. Je comprenais qu'il soit déçu de rater son party, mais ce n'était pas une raison pour cracher sur une occasion d'organiser une autre fête. Puis j'ai soudain eu un éclair de génie.

Moi : Je sais ! On peut faire un party thématique ! Genre, jour de l'An avant le temps ! Et ce serait vraiment génial d'organiser ça la fin de semaine que Marilou est à Montréal.

Ma mère : C'est quand, ça ?

Moi : Dans deux semaines. On pourrait faire le party le 22 !

Mon frère : Je ne veux pas faire de party thématique ! Je vais avoir l'air d'un *loser*.

Moi : Oh, OK. Excuse-moi, monsieur trop-cool-pour-mes-idées.

Mon père : Pensez-y, et vous nous direz quelle date vous convient.

Moi (en souriant) : OK ! Merci encore pour le voyage. Et le party ! Vous êtes, genre, les meilleurs parents du monde !

Ma mère : Wow ! C'est la première fois que tu dis ça depuis qu'on a emménagé à Montréal !

Elle m'a souri et mes parents sont sortis faire des courses. Dès que nous nous sommes retrouvés seuls, Félix a poussé un long soupir.

Moi : Ben voyons ! T'es ben déprimant ! On vient d'apprendre qu'on passait deux semaines dans le Sud et qu'en plus on avait le droit d'organiser un party dans deux semaines. Il me semble que tu pourrais te réjouir un peu.
Félix : Je sais... Mais je trouve ça juste plate de rater un événement comme le jour de l'An.
Moi : Je suis sûre qu'il y aura des tas de Cubaines pour te remonter le moral à Varadero.

Félix a ri et m'a lancé un coussin.

Félix : Ouais, t'as raison. Je vais tout de suite créer un événement Facebook pour le party du 22. Mais oublie ta thématique ! Et je vais m'assurer que les parents décollent au moins jusqu'à minuit.

Alors voilà mes nouvelles. Même si je ne pourrai venir te visiter pendant le temps des fêtes, on aura la chance de se voir dans dix jours, et même de célébrer avec les amis cool de Félix le samedi soir.

Je te laisse, car la période s'achève, mais j'espère que tu es contente ! !
Léa xox

P.-S. : En passant, Olivier et Maude passent tout leur temps ensemble depuis hier. ☹ Apparemment, notre fausse rupture n'a pas eu l'air de l'affecter beaucoup. Grrr. Je hais les gars !

Jeudi 13 novembre

20 h 42

Léa (en ligne): Salut, les filles!

20 h 42

Katherine (en ligne): Salut! ☺

20 h 43

Jeanne (en ligne): Salut, toi! On t'a cherché partout après l'école! T'étais passée où?

20 h 43

Léa (en ligne): J'ai aidé Alex à réviser son texte de français... C'était pour le remercier de m'avoir aidée en maths. Jeanne, ça ne te dérange pas, j'espère?

20 h 44

Jeanne (en ligne): Au contraire! Je suis contente que notre rupture n'affecte pas votre amitié. Je me sentirais trop mal, sinon.

Katherine (en ligne): Moi, je trouve que vous vous en tirez plutôt bien, tous les deux! On ne sent jamais de malaise quand on se retrouve en groupe.

Jeanne (en ligne): C'est gentil! ☺ Sans blague, je ne pense pas que ce soit difficile pour lui non plus de faire comme si de rien n'était et d'oublier qu'on a passé trois mois ensemble. Notre amitié est trop importante.

Léa (en ligne): Je vous trouve bons pareil! Éloi et moi, on a eu besoin de plusieurs mois avant que les choses redeviennent normales.

Jeanne (en ligne): C'est peut-être parce que vous vous aimiez encore... Je crois qu'à la fin, il n'y avait plus que de l'amitié entre Alex et moi, alors ça aide. Ça ne veut pas dire que ça ne me fera pas bizarre de le voir avec une autre, mais au moins, je peux être en sa présence sans me sentir tout croche.

20 h 46

Katherine (en ligne): Léa, on a reçu votre super invitation Facebook ! Ça va être cool comme party !

20 h 47

Jeanne (en ligne): Mets-en ! Et c'est en plein ce dont on a besoin : un party en novembre pour se remonter le moral et pour oublier le temps gris et les examens.

20 h 47

Léa (en ligne): Ouais, ça va être cool ! Évidemment, j'ai expressément interdit à Félix d'inviter Maude et sa clique, qui inclut maintenant Olivier.

20 h 48

Katherine (en ligne): C'est vrai qu'il se tient beaucoup avec les nunuches ces temps-ci. Je ne vois pas ce qui leur trouve.

20 h 49

Jeanne (en ligne): Peut-être que Maude lui a jeté un mauvais sort qui lui a fait perdre son jugement ?

Léa (en ligne): Peut-être, mais j'avoue que ça me console, car ça me prouve que j'ai pris la meilleure décision en l'envoyant balader.

20 h 50

Katherine (en ligne): Tout à fait! Tu n'as pas besoin d'un gars pour te remonter le moral.

20 h 50

Jeanne (en ligne): Je suis bien d'accord! *Girl power!*

20 h 51

Léa (en ligne): Tellement! Et c'est cool! Pour une fois qu'on se retrouve toutes les trois célibataires en même temps.

20 h 51

Katherine (en ligne): Oui!! C'est vrai que c'est cool!

20 h 52

Jeanne (en ligne): Bon, je vais vous laisser, car *Les menteuses* commence dans huit minutes!

20 h 52

Katherine (en ligne): Et moi, je dois aller finir ma compo de français! À demain, les filles!

20 h 52

Léa (en ligne): À demain! ♥

À : Léa_jaime@mail.com
De : Marilou33@mail.com
Date : Samedi 15 novembre, 10 h 03
Objet : Six jours avant OD !

Salut !

Je sais que je te l'ai déjà dit au moins quarante fois cette semaine, mais je suis trop contente ! ! ! Il ne reste plus que cinq petits jours avant mon arrivée, six avant notre concert, et sept avant votre party. C'est, genre, la semaine le plus cool de ma vie !

En plus, comme je rate la journée de vendredi, je n'ai que quatre jours d'école cette semaine ! Ça va être tellement cool de se voir, et de crier HARRYYYYYYY en chœur !

Comment se passe ta fin de semaine ? Toujours autant de devoirs et d'étude ? Moi, j'ai passé la soirée d'hier avec Steph, qui semble toujours aussi épanouie dans son célibat ! Je suis contente pour elle, mais en même temps, je suis un peu triste pour Seb, car JP m'a dit que Thomas lui avait dit que Sarah Beaupré lui avait dit que Géraldine l'avait vu pleurer dans la cour d'école avant-hier. Tu vas me dire qu'il ne faut pas se fier aux ragots de la gang de Sarah, mais j'avoue que Seb a vraiment l'air mal en point depuis sa rupture.

Aujourd'hui, j'ai promis à Laurie de l'accompagner au centre commercial, car c'est la fête de Christian lundi et elle ne sait pas quoi lui acheter.

Moi : Pourquoi tu veux lui acheter un cadeau s'il n'est pas officiellement ton chum ?

Laurie : Ben là ! On passe tout notre temps ensemble. C'est vraiment la moindre des choses que je lui achète un petit cadeau.

Moi (en fronçant les sourcils) : Laurie ?

Laurie (en faisant l'innocente) : Hum ?

Moi : Est-ce que Christian sait que vous ne formez pas un couple officiel ?

Laurie : Oui. En fait, je ne suis pas sûre. Peut-être pas...

Moi (d'un air mécontent) : LAURIE ! Tu vas lui briser le cœur si tu continues comme ça !

Laurie : Ne réagis pas comme ça ! Christian ne le sait pas parce que ça ne sert à rien qu'il le sache. Si, dans sa tête à lui, ça le rend heureux de s'imaginer que je suis sa blonde, et que, dans ma tête à moi, je me sens plus libre et en contrôle de mes émotions lorsque je me dis que je ne suis pas en couple, alors tout le monde est content.

Évidemment, tu te doutes que je ne suis pas d'accord avec sa théorie bidon, d'autant plus que Christian est un bon ami et que je ne veux pas qu'il souffre, mais JP n'arrête pas de me répéter que ce n'est pas de mes affaires, et que je n'ai pas à m'en mêler. (Personnellement, je pense qu'il est encore jaloux de Christian, mais je préfère ne pas tourner le couteau dans la plaie !)

Bon, je te laisse, car Laurie m'attend, mais je t'embrasse très fort et j'ai trop hâte à jeudi.
Lou xox

📱 **17-11 13 h 32**
....

Lou? Je t'écris discrètement de mon cours d'anglais, mais il se passe quelque chose de bizarre entre Maude et Olivier.

📱 **17-11 13 h 36**
....

OK! Je viens de prétexter devoir aller à la salle de bains pour te répondre! Comment ça? Qu'est-ce qui se passe?

📱 **17-11 13 h 36**
....

Il se passe qu'elle l'évite et l'ignore depuis ce matin. Je sens qu'il y a de la tension entre eux, et comme ils étaient inséparables la semaine dernière, je trouve ça louche!

📱 **17-11 13 h 37**
....

Crois-tu qu'ils se sont disputés? Ou peut-être qu'Olivier a enfin réalisé que Maude était l'incarnation maléfique du diable. Lol!

📱 **17-11 13 h 38**
....

Ouais, mais ce qui est bizarre, c'est que c'est elle qui semble être en froid avec lui. Olivier n'arrête pas de lui lancer des regards piteux.

📱 **17-11 13 h 39**

. . . .

Peut-être qu'il l'a entraînée dans une ruelle cachée pour lui faire la torpille?

📱 **17-11 13 h 40**

. . . .

Si c'est le cas, j'espère qu'il lui a torpillé le visage jusqu'au cerveau. C'est tout ce qu'elle mérite!

📱 **17-11 13 h 41**

. . . .

Je suis bien d'accord! Bon, je retourne en classe, mais tiens-moi au courant des développements. ☺
xx

📱 **17-11 13 h 41**

. . . .

Promis!

À : Marilou33@mail.com
De : Léa_jaime@mail.com
Date : Mercredi 19 novembre, 16 h 21
Objet : Tu n'en croiras pas tes oreilles !

Salut, Lou !
Je viens juste de rentrer de l'école et je ne pouvais pas attendre une minute de plus avant de te raconter ma journée. Comme tu le sais, la situation avait l'air hypertendue entre Maude et Olivier depuis le début de la semaine, et je n'arrivais toujours pas à comprendre pourquoi. Jusqu'à aujourd'hui.

Juste avant d'aller dîner, j'ai fait un arrêt à la salle de bains pour me recoiffer, et je suis tombée nez à nez avec Maude, qui s'appliquait du mascara.

Maude (en m'observant dans le miroir) : Tu sais que même si tu refais ton chignon mille fois ça ne réglera rien à ton air d'hypocrite.
Moi (en la dévisageant à mon tour dans la glace) : De quoi tu parles, Maude ? Il me semble que l'hypocrisie n'est pas mon style. Après tout, je ne t'aime pas, et je ne me cache pas pour te le dire.
Maude : Non, mais il y a d'autres affaires que tu ne me dis pas !
Moi (en soupirant) : Bon, qu'est-ce qui se passe, encore ?

Maude (en se tournant vers moi et en posant les mains sur ses hanches) : Je savais que tu tripais sur Olivier depuis le début de l'année, mais pourquoi tu ne m'as jamais dit que vous vous étiez embrassés plein de fois ?

Moi (en me tournant vers le miroir) : Parce que ce n'est pas de tes affaires.

Maude : Pfff ! Tu es prête à utiliser n'importe quoi pour me rendre la vie impossible, mais tu ne me dis pas que tu as *frenché* le gars pour qui on se bat depuis le début de l'année ? Ça ne marche pas, ton affaire.

J'ai soupiré et je me suis accotée contre le comptoir. Je pouvais continuer les sous-entendus, ou je pouvais simplement mettre cartes sur table et tout lui dire question de passer officiellement à autre chose. J'ai choisi la deuxième option.

Moi : Si tu veux tout savoir, Maude, je ne t'ai rien dit parce que j'avais un peu honte. Chaque fois qu'Olivier m'embrassait, c'était en cachette, et je ne trouvais pas ça *full* édifiant de te l'avouer.

Maude m'a regardée d'un air surpris. Je pense qu'elle ne s'attendait pas à ce que je sois si honnête avec elle.

Maude : Euh ! Alors pourquoi il t'a fait la grosse déclaration au party d'Halloween ?

Moi : Parce qu'il voulait me prouver qu'il n'avait pas honte de moi, et qu'il était prêt à sortir avec moi. Mais c'était trop tard.

Maude a replacé son tube de mascara dans sa trousse à crayons et m'a regardée d'un air songeur.

Moi : Quoi ?
Maude : Je ne sais pas si je devrais te dire ça... Mais si ça peut te consoler, il a fait la même chose avec moi.
Moi : QUOI ? Quand ça ? Il te *frenchait* en cachette en même temps que moi ? Ouache ! Il est ben dégueu !
Maude : Non. Moi, c'est plus récent. Disons que depuis que tu l'as envoyé promener, j'ai tout fait pour essayer de le séduire, et que j'ai finalement réussi à le convaincre de m'embrasser...
Moi (en grimaçant et en m'apprêtant à sortir) : Merci, mais je n'ai pas besoin des détails.
Maude : Attends !

Je me suis tournée vers elle.

Maude : Ce n'est pas tout. C'est arrivé jeudi passé. J'ai essayé de l'embrasser à l'école, mais il s'est détourné et je me suis sentie comme une laideronne. Comme j'étais hors de moi, il m'a proposé d'aller faire une balade sur l'heure du dîner, et c'est là qu'il m'a embrassée. J'ai bien vu qu'il vérifiait avant pour s'assurer que personne ne rôdait autour. Quand on est rentrés à l'école, j'ai essayé de l'embrasser dans la cafétéria, mais il a prétexté un mal de ventre et il est parti en courant.

Moi : Ouach !

Maude : Ouais. C'est là que j'ai commencé à avoir des doutes. Contrairement à toi, je me suis dit que s'il agissait comme ça ce n'était certainement pas parce qu'il avait honte. (En s'admirant dans la glace.) Après tout, qui ne voudrait pas m'embrasser en public ! J'en suis donc venue à la conclusion qu'il me cachait quelque chose à propos de toi. Je l'ai confronté à ses contradictions en fin de semaine, et il m'a avoué qu'il t'avait embrassée à quelques reprises avant qu'on se rapproche lui et moi, et qu'il ne voulait pas te faire de peine. Je lui ai dit qu'il pouvait aller se faire voir ailleurs.

Moi : Si tu veux sortir avec lui, tu lui diras que ça ne me fait pas de peine, et que je me porte mieux sans lui.

Maude : Es-tu folle ? ! Il est hors de question que je sorte avec lui ! Premièrement, il t'a embrassée avant moi... OUACH ! Deuxièmement, il m'a menti, et troisièmement...

Maude a hésité.

Maude : Bof, ça ne sert à rien de te donner la troisième raison, parce qu'avec ton manque d'expérience, tu n'as sûrement rien remarqué.

Moi : Laisse-moi deviner : tu trouves qu'il embrasse mal ?

Maude (en écarquillant les yeux) : Tu as remarqué, toi aussi ?

Moi : J'ai l'ai remarqué dès notre premier baiser quand il a mis de la bave sur chaque centimètre de mon visage !

Maude : Je sais ! Et que dire de sa langue ! Un moulin à vent fait moins de mouvement !

Moi (en souriant) : Je me suis dit la même chose !

Nous avons échangé un sourire, puis je me suis aussitôt ressaisie, tandis que Maude toussotait d'un air sérieux. Même si nous avions un point en commun, ça ne voulait pas dire que nous étions amies.

Maude : Bref, je n'en veux plus, du petit nouveau, alors si tu veux mes retailles, il est à toi.

Moi (en plissant les yeux) : Comme c'est moi qui l'ai embrassé en premier, je dirais plutôt que c'est toi qui as eu mes miettes.

Maude : Pfff. Rêve toujours, Léna ! Je ne sais pas si tu le réalises, mais Olivier n'a eu aucune difficulté à t'oublier et à courir vers moi lorsque tu l'as laissé tomber. Et à voir la tête d'enterrement qu'il fait aujourd'hui, c'est évident que notre rupture l'affecte beaucoup plus que la vôtre.

Et voilà. Face de tomate et cerveau d'artichaut sont de nouveau en guerre, et cette fois-ci, elles se disputent pour savoir qui a le plus brisé le cœur d'Olivier.

Moi (en la regardant d'un air découragé) : Tu ne changeras jamais, Maude.

Maude (en passant devant moi pour sortir de la salle de bains) : Je ne vois pas pourquoi je changerais. Les gars ont l'air de m'aimer comme je suis. Bye, tomate pourrie.

Moi : Bye, artichaut farci.

J'ai repris mes esprits pendant quelques secondes, puis je suis allée rejoindre Alex à notre table à la cafétéria.

Alex (en souriant) : Tiens, voici la vedette de ma vie.

Moi : Wow. Qu'est-ce qui me vaut cet honneur ?

Alex (en plantant un baiser sur ma joue) : J'ai eu une bonne note en français, et c'est grâce à toi.

J'ai aussitôt rougi.

Moi : Euh ! Ce n'est rien, voyons. Je suis là pour ça !

Alex m'a regardée d'un drôle d'air.

Alex : Ça va ? T'as l'air bizarre ? Est-ce que c'est mon baiser chaste sur ta joue qui te fait autant d'effet ?

Moi (en le regardant d'un drôle d'air) : T'aimerais trop ça ! Non... C'est une conversation que j'ai eue avec Maude dans la salle de bains qui me laisse songeuse...

Alex : Quoi ? Avez-vous finalement enterré la hache de guerre ?

Moi : Si par « hache » tu veux dire Olivier, alors oui !
Mais si tu me demandes si on a fait la paix, la réponse
est non.

Alex : Quoi ? C'est complètement terminé entre Olivier
et toi ?

Moi : Tu ne savais pas ?

Alex : Non... Jeanne et moi parlons moins qu'avant,
alors je ne peux plus compter sur ma source quotidienne
de potins.

Moi : Eh bien, oui. C'est terminé. J'en avais assez de
lui, et de Maude...

Alex (en souriant) : Bon débarras !

Moi : Tu ne l'as jamais porté dans ton cœur, hein ?

Alex : Non. Je te dirais que c'est généralement difficile
pour moi de porter tes chums dans mon cœur.

Je l'ai regardé en souriant.

Moi : Pas même Éloi ?

Alex : Ah ouais, c'est vrai. Sauf Éloi.

Éloi (en s'asseyant à côté de nous avec un plateau) :
Éloi, quoi ? Vous parlez de moi ? Vous êtes encore en
train de dire à quel point je suis irrésistible ?

Moi (en riant) : Évidemment ! Alex me disait à quel
point son amour pour toi devenait insoutenable et qu'il
devait te l'avouer !

On a éclaté de rire tous les trois. Je me sentais
beaucoup mieux maintenant que j'étais en présence de

mes amis. Mais juste avant le cours d'anglais, Alex m'a appris une mauvaise nouvelle.

Alex (en marchant dans le corridor) : En passant, j'ai oublié de te le dire ce midi, mais je ne pourrai malheureusement pas être là pour ton party samedi. Je me suis inscrit dans un tournoi de hockey avec Alexis en fin de semaine, et c'est en Beauce...
Moi (sans pouvoir cacher ma déception) : Oh. OK.
Alex : Hé ! Mais ne t'en fais pas ! Je te promets une super *date* avec moi d'ici ton départ à Cuba ! OK ?
Moi : OK, d'abord !

Alors voici ce qui résume ma journée d'aujourd'hui. Je peux dire que le dossier d'Olivier est officiellement clos, et que je suis plus que jamais célibataire et prête à célébrer avec toi en fin de semaine.

J'ai trop hâte à demain. Je vais venir te chercher au terminus avec Félix vers 21 h.

Je t'aime !
Léa xox

📱 **21-11 19 h 02**
....

Salut, Léa! Êtes-vous déjà au Centre Bell?

📱 **21-11 19 h 04**
....

Salut, Kath! Oui! On fait la file près du stand de nachos!

📱 **21-11 19 h 05**
....

Trop cool! Vous êtes tellement chanceuses d'être au concert de OD! Dis donc, j'ai une mauvaise nouvelle à t'annoncer...

📱 **21-11 19 h 07**
....

Rien de trop grave, j'espère?

📱 **21-11 19 h 08**
....

Non, mais ma tante qui habite à Tremblant déménage en fin de semaine et mes parents m'obligent à les accompagner demain pour l'aider. On va dormir là-bas...

📱 **21-11 19 h 10**
....

Oh. ☹ Ça veut dire que tu ne pourras pas être au party?

📱 **21-11 19 h 11**
....

Non. ☹ Je suis vraiment déçue ! J'aurais *full* aimé ça revoir Marilou et tous les amis de Félix.

📱 **21-11 19 h 13**
....

Je suis déçue aussi, mais je comprends.

📱 **21-11 19 h 14**
....

Tu promets de me raconter tous les détails lundi ?

📱 **21-11 19 h 15**
....

Promis ! ☺

📱 **21-11 19 h 15**
....

Super ! Bon, je vous laisse profiter du spectacle, mais dis allo à Marilou pour moi !

📱 **21-11 19 h 16**
....

OK. Bonne fin de semaine !

📱 **21-11 19 h 16**
....

Bonne fin de semaine aussi ! *Luv* !

À : Léa_jaime@mail.com
De : Jeanneditoui@mail.com
Date : Samedi 22 novembre, 15 h 36
Objet : Mauvaise nouvelle ☹

Coucou, Léa.
J'ai essayé de te joindre à la maison et sur ton cell, mais sans succès. Je sors de mon état comateux pour te dire que j'ai attrapé une gastro (je sais... OUACH!) qui m'oblige à rester au lit. Je suis désolée, mais je ne pourrai pas être à votre party, ce soir.

Tu embrasseras Marilou de ma part (en espérant ne pas la contaminer cybernétiquement) et tu m'écriras demain pour me raconter comment était le concert et la fête.

Jeanne (qui est verte, mais qui pensera à vous ce soir)
xxx

À : Jeanneditoui@mail.com
De : Léa_jaime@mail.com
Date : Dimanche 23 novembre, 17 h 46
Objet : *Let's go to Varadero!*

Coucou!
Alors, comment tu vas? Et ta gastro? J'en ai déjà eu une et je sais à quel point c'est pénible, alors j'espère que tu survis.

De mon côté, j'ai pas mal de choses à te raconter. Premièrement, le concert de vendredi était FOU! Même si nous étions assises vraiment loin du *stage*, nous avions apporté des jumelles pour mieux admirer Harry. Le problème, c'est qu'il y avait à peu près vingt mille filles encore plus motivées que nous qui étaient prêtes à tout pour attirer son attention. La brune qui était assise à côté de moi a même eu la brillante idée de sortir une trompette de carnaval de son sac et de souffler dedans à pleins poumons.

Marilou : Voyons! Elle est ben gossante!
Moi : Je sais! Et elle est en train de détruire mon ouïe!

La fille a décidé de souffler encore plus fort.

Marilou (à la fille) : Excuse-moi, mais pourrais-tu arrêter, s'il te plaît? Tu es en train de rendre mon amie sourde, et on n'arrive plus à entendre les chansons.
La fille : Désolée, mais je refuse d'arrêter. Je veux que Harry m'entende.
Moi (en chuchotant à Marilou) : Mais elle est donc bien intense!

Malgré nos demandes répétitives, la fille gossante a continué à faire retentir sa trompette entre chaque chanson jusqu'à la fin du spectacle. Résultat : quand Marilou et moi sommes sorties du concert, nous étions complètement sourdes. Nous avons rejoint Félix qui nous attendait en voiture à quelques coins de rue de là.

Moi (en hurlant et en entrant en voiture) : TU NE SAIS PAS CE QUE TU AS MANQUÉ, FÉLIX !

Félix : Non, mais baisse le ton ! Tu vas me rendre sourd !

Moi : OUPS ! EXCUSE-MOI ! LA MUSIQUE ÉTAIT TELLEMENT FORTE ET MA VOISINE TELLEMENT GOSSANTE AVEC SA TROMPETTE QUE JE PENSE QUE J'EN AI LES OREILLES BOUCHÉES !

Félix (en me dévisageant) : Tu penses ? Et toi, Marilou, t'as aimé ?

Marilou (en le dévisageant) : HEIN ?

Félix (en soupirant) : Laisse faire.

Marilou (en s'avançant vers nous sur le siège arrière) : EXCUSE-MOI, FÉLIX, MAIS IL VA FALLOIR QUE TU PARLES PLUS FORT. JE N'ENTENDS RIEN À CAUSE DE LA MUSIQUE !

Félix (en parlant plus fort) : Euh ! Il n'y a pas de musique !

Marilou : HUM ! C'EST BIZARRE, PARCE QUE J'ENTENDS UN RYTHME.

Félix (en criant) : OK ! Vous êtes vraiment gossantes, alors on se parlera à la maison.

Nos acouphènes ont fini par disparaître au cours de la nuit, et Marilou et moi étions en pleine forme lorsque nous nous sommes levées hier matin !

Comme il pleuvait, nous avons passé la matinée à écouter la télé, puis, en après-midi, nous avons aidé Félix à tout préparer pour le party. Nos parents avaient prévu une sortie jusqu'à minuit et ils avaient même accepté de s'enfermer dans leur chambre à leur retour s'ils considéraient que la fête était maîtrisée.

Au début de la journée, j'étais excitée par le party, mais quand j'ai pris ton courriel et que j'ai réalisé que ni Katherine, ni Alex, ni toi n'alliez y être, je me suis dit que ce serait un peu plate pour Marilou et moi.

Marilou (en se maquillant) : Ne t'en fais pas ! Même si tes amis ne peuvent pas être là, au moins les amis *cute* et cool de ton frère seront ici.
Moi : Ouais, c'est vrai. Et Éloi et sa blonde sont censés venir faire un tour, alors on aura au moins deux amis dans la maison.

Après avoir partagé une pizza avec Marilou et Félix, je me suis installée dans le salon pour attendre les invités. Vers 20 h 30, personne n'était encore arrivé.

Moi : Wow. On est populaires !
Félix (en allumant la télé) : Une partie de ma gang allait voir le match dans un bar, mais ils sont censés passer après.
Moi : OK. Mais où est le reste de ta gang ?

Félix : Il est 20 h 30, Léa. Relaxe. Je ne suis plus au secondaire, moi. Le monde se pointe plus tard aux partys.

Moi (d'un ton sarcastique) : Excuse-moi. J'avais oublié à quel point tu étais cool.

Trente minutes plus tard, les Canadiens perdaient 5 à 1, et il n'y avait toujours personne à notre super party.

Félix (en textant à ses amis) : Ouais, ben les gars sont trop démoralisés par la défaite, alors il y en a la moitié qui va laisser faire pour ce soir, mais y en a une couple qui vont débarquer dans pas longtemps.

Ding ! Dong !

Je suis allée ouvrir, et je suis tombée nez à nez avec un gars que je n'avais jamais vu de ma vie.

Moi (en le laissant entrer) : Allo. Je suis Léa, la sœur de Félix.

Lui : Salut. Moi c'est Elvis.

J'ai retenu un rire, mais comme il avait l'air sérieux, je l'ai invité à passer au salon, puis je suis allée rejoindre Marilou dans la cuisine. Mon frère est arrivé deux minutes plus tard.

Félix : C'est qui ton ami *nerd* qui est dans le salon ?

Moi : Ce n'est pas MON ami *nerd*. C'est TON ami *nerd* qui s'appelle Elvis !

Félix : Je n'ai jamais vu ce gars de toute ma vie.

Nous avons échangé un regard semi-paniqué, puis nous sommes allés voir au salon pour nous assurer qu'Elvis n'était pas disparu avec la télévision et la console de jeu, mais il n'avait pas bougé d'un poil.

Félix (en regardant Elvis) : Hé ! Salut ! Est-ce qu'on se connaît ?

Elvis : Oui.

Félix : Hum... Pourtant, ton visage ne me dit rien.

Elvis : Nous sommes dans le même cours d'informatique, mais je suis toujours assis en avant. En tout cas, c'est gentil à toi de m'avoir invité à ton party.

Félix : Euh ! Ça me fait plaisir. Je... Tu veux quelque chose à boire ?

Elvis : De l'eau, s'il te plaît.

Félix : OK. J'y vais.

J'ai évidemment suivi Félix jusque dans la cuisine, tandis que Marilou essayait de faire la conversation avec Elvis.

Moi : T'as invité un gars que tu ne connais pas à notre party ?

Félix : Je ne comprends pas... Il a dû se faufiler dans la liste d'invitations sans que je m'en rende compte. Mais il n'a pas l'air méchant, ni dangereux.

Moi : Je sais... et comme il est notre seul invité, aussi bien fraterniser avec lui.

Nous sommes donc retournés au salon, et Elvis a passé près de vingt minutes à nous parler de marchés boursiers.

Heureusement, la sonnette a retenti juste au moment où j'essayais de trouver une façon de fuir ma propre maison.

Félix est allé ouvrir, et j'ai entendu une voix familière. Éloi est aussitôt apparu dans le salon.

Moi (en courant vers lui) : Hé ! Contente que tu sois venu ! Caro n'est pas là ?

Éloi : Non, elle a la grippe. Mais je vois que c'est le gros party, ici.

Félix : Parle-m'en pas ! Je pense que mes amis m'ont déserté pour aller voir un show !

Moi : Ils n'étaient pas allés regarder le match dans un bar ?

Félix : Ouais, mais après, ils ont décidé de faire un arrêt dans une salle de spectacles, et ça semble être difficile de les faire décoller.

Marilou : Mais heureusement, Elvis est là.

On s'est tous tournés vers Elvis, qui nous a souri.

Comme notre « party » commençait à ressembler à une fête de l'âge d'or, Éloi a proposé qu'on fasse un tournoi de hockey à la Wii.

Même si la soirée n'était pas du tout ce que j'espérais, j'avoue que j'ai ri en jouant à la console. J'étais au moins entourée de ma BFF, de mon frère – qui est parfois supportable –, de mon ami Éloi, et d'Elvis, mon nouveau coéquipier à la Wii !

Quand mes parents sont rentrés, ils étaient vraiment surpris (et un peu soulagés) de nous retrouver tous les quatre sagement assis au salon ! Nous avons terminé notre tournoi, puis Elvis est parti avec Éloi après lui avoir proposé de le déposer chez lui.

Tu peux conclure que tu n'as rien raté de trop excitant. Je dirais même que dans l'histoire des partys, celui de samedi gagne la palme du plus plate.

Mais le plus fou dans tout ça, c'est que je ne suis pas trop déçue. Premièrement, j'ai eu la chance de passer une fin de semaine de qualité avec Marilou. Deuxièmement, je me sens vraiment libre depuis que j'ai dit à Olivier que je ne voulais plus rien savoir de lui. Troisièmement, je sais que je peux maintenant compter sur de vrais amis ici pour me remonter le moral – d'autant plus qu'ils sont maintenant tous célibataires ! Et finalement, dans moins d'un mois, ce sont les vacances de Noël, et *let's go to Varadero!* Je te jure que je compte profiter pleinement de cette aventure tropicale. Léa Olivier en cavale ! Lol ! Cuba ne perd rien pour attendre !

À suivre...